LOIRE-ATLANTIQUE

LOIRE-ATLANTIQUE

*La Loire-Atlantique est une rencontre, celle des Pays
de la Loire et du littoral atlantique. Le département, à l'image
de cette chance géographique, de ces horizons chargés
d'un passé prestigieux et d'un charme singulier,
apparaît aujourd'hui comme la porte atlantique de l'Europe.*

Photographies : Bodgan KONOPKA

Textes : Franck ALLAIN

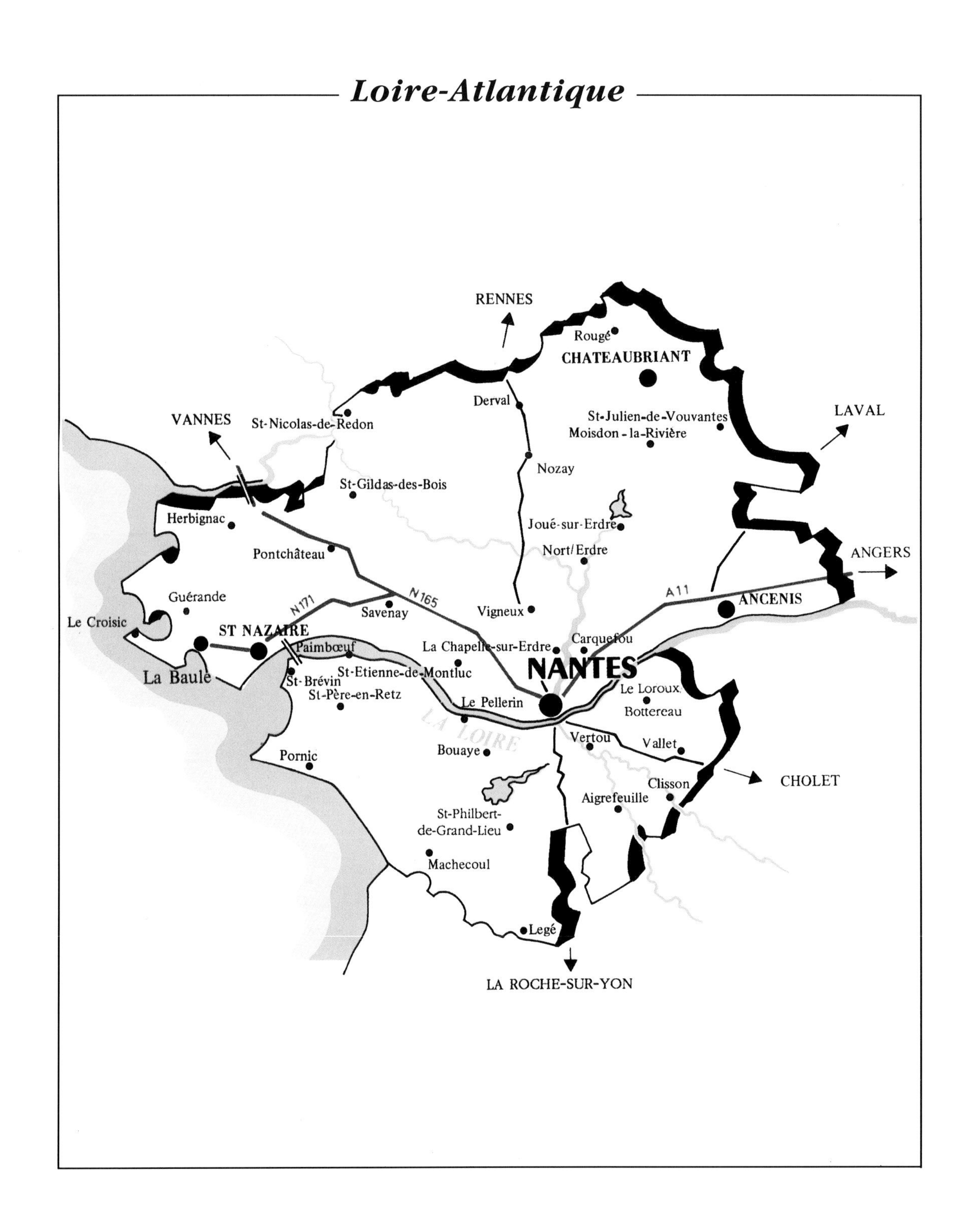

SILOË

LIBRAIRE - ÉDITEUR
22, rue du Jeu-de-Paume
53003 LAVAL CEDEX

ISBN édition française : 2-908925-08-7
ISBN édition anglaise : 2-908925-09-5
ISBN édition allemande : 2-908925-10-9

Loire-Atlantique

La presqu'île guérandaise

Le pays de Retz

Au nord de Nantes

La vallée de l'Erdre

Le pays de Châteaubriant

En remontant la Loire
du port de Saint-Nazaire aux portes de l'Anjou

Nantes, capitale atlantique

Clisson ou l'Italie

Le pays du Muscadet

La mer livre aussi tous ses miroitements
et tous ses attraits. Avec ses ports de plaisance,
ses aménagements côtiers, ses plages célébrissimes,
et ses points de vue prodigieux, la Loire-Atlantique
est l'un des premiers départements du loisir estival de France.

97214
VOIL
TUBORG
TUBORG

81669
DES DAUPHINS
HOBIE CAT

Au nord-ouest du département, s'étend la presqu'île guérandaise, royaume du sel. Batz et Guérande, joyaux de la féodalité, trônent sur le pays de « l'or blanc ».

Tout près, vers l'est, s'étendent bientôt les espaces préservés du parc de la Brière *(à gauche)* puis du magnifique lac de Grand-Lieu *(ci-dessus)*, réserve ornithologique.

Au sud, s'offrent les côtes étranges et belles du pays de Retz, avec leur charme familier et leur tranquillité.

Paysage rêvé pour le repos et l'amour de la mer, elles offrent un des aspects les plus intimes de toutes les plages de France.

A partir de Nantes, s'étend vers l'est,
celle que François Ier désigna
comme « la plus belle rivière de France » : l'Erdre.

L'Erdre témoigne, avec sa succession
de gentilhommières et de belles demeures,
du faste nantais, premier port de France au XVIIIe siècle.

Bientôt, plus au nord, c'est le pays de la Mée, ou pays de Châteaubriant. Entre Anjou, Bretagne, Mayenne et Loire, il offre une terre de tradition des plus étonnantes du département... Ici se tinrent jadis les plus grandes foires d'Europe, comme continuent de se tenir les marchés bovins et de se traiter les échanges majeurs de l'agro-alimentaire français.

En remontant le cours de la Loire, de Nantes vers l'Anjou,
se révèle le monde de la production agricole et maraîchère
des bords de Loire. Tradition et techniques nouvelles
s'imbriquent... à l'image du T.G.V. atlantique qui glisse
vers Paris au-dessus des sables silencieux d'une Loire éternelle.

De même sur l'Atlantique,
le passé et l'avenir se rejoignent,
... au loin, depuis la côte de Saint-Brévin,
se profilent les lignes futuristes du pont
de Saint-Nazaire, qui relie le nord de l'estuaire
et son complexe portuaire au sud et ses richesses maraîchères.

L'estuaire s'étend depuis Saint-Nazaire et Donges,
avec son paysage lunaire et sa précieuse industrie *(pages précédentes)*,
jusqu'à Nantes, antique cité des ducs de Bretagne et métropole de l'Ouest.

Nantes aujourd'hui offre un visage multiple et sans cesse changeant ; la cité cultive l'avenir comme jadis elle envoyait ses galions dans les îles commercer vers de nouveaux horizons.

Douceur à l'italienne près de Nantes, les bords
de la Moine découvrent la belle région de Clisson.
Perle de l'architecture néo-classique italienne en Loire, Clisson
est le rendez-vous du tourisme et des esthètes du monde entier.

Au sud de Nantes, s'étend un autre « trésor », célèbre entre tous : le Muscadet, cultivé à travers tout le vignoble nantais. C'est aussi une étrange et belle région, faite de coteaux, de collines, et de douceur de vivre.

Nous sommes à une lisière : ici se joignent, se renforcent, s'échangent et se multiplient toutes les forces, les attraits et les charmes... de la Bretagne, de l'Anjou et de la Loire.

LA LOIRE-ATLANTIQUE

Franck Allain

Crique de la pointe de Chémoulin.

La Loire partage la France en deux. Ou plus exactement en trois : le Sud, le Nord... et les Pays de la Loire. Au sein de cette lisière exacte des influences et des richesses du pays, la Loire se jette dans la mer à l'ouest dans le cadre d'un département : la Loire-Atlantique.

A la fois pays de la Loire et littoral atlantique — comme son nom l'indique —, le département qui porte le chiffre 44 constitue une unité singulière, véritable noyau de l'Ouest de la France au sein duquel Nantes, capitale régionale et porte atlantique, occupe une place d'honneur.

Livrons tout de suite un secret géographique jalousement préservé : aux limites de l'estuaire, il est une pittoresque pointe rocheuse. Elle fait face à la mer et embrasse dans le même temps la belle étendue de l'estuaire de la Loire. Elle a pour nom « pointe de Chémoulin ».

De là, si l'on regarde à quelques dizaines de mètres en-dessous de soi, on peut voir distinctement d'un côté la Loire et de l'autre la mer, leurs eaux de nature différente, ainsi que la ligne où elles se rencontrent... La Loire-Atlantique est à l'image de cette lisière fascinante.

La presqu'île guérandaise

La côte atlantique de l'estuaire de la Loire a un nord et un sud : la presqu'île guérandaise d'une part et le pays de Retz d'autre part. Cependant si l'idée d'un sud de la Loire définit assez bien la région de Retz, celle d'un « nord » est un peu trop glacée pour désigner le climat suave et la géographie richissime de la presqu'île guérandaise. L'usage ne s'y trompe pas qui nomme, depuis 1850, « Côte d'Amour » le fleuron de cette splendide succession de plages. Il y règne — maîtresse incontestée — la célèbre La Baule, plus belle plage d'Europe.

La Côte de Plaisance a d'infinis miroitements et autant de secrets. Elle commence juste après Saint-Nazaire. Une petite route (si l'on décide de ne pas prendre la quatre-voies pour Pornichet) longe la mer. Passé la pointe de l'Aiguillon, ce sera d'abord Saint-Marc que l'on découvrira dans tout son charme. Jolie plage de sable fin où s'enracine — telle une œuvre d'art — un très beau rocher sur lequel ont joué bien des générations, la charmante station balnéaire a été immortalisée par le cinéaste Jacques Tati qui y tourna *Les Vacances de Monsieur Hulot*.

But de promenade des baigneurs le long des falaises escarpées et ombragées de beaux arbres, la pointe de Chémoulin, antique sémaphore, offre ses vues superbes sur la baie de Pornichet, La Baule et Le Pouliguen, aussi bien que sur l'estuaire et le grand large. Peu après, en remontant toujours, les visiteurs découvriront Sainte-Marguerite, ancienne station très prisée au début du siècle et dont subsistent de belles villas, de grands hôtels et un golf... Puis, brusquement, c'est la baie de la Côte d'Amour et sa lumière vénitienne qui s'imposent comme un miracle et une surprise de la géographie. Une grève de sable fin s'étend en arc de cercle, à perte de vue, de Pornichet au Pouliguen ; cette plage magnifique mesure huit kilomètres.

Le port de pêche
du Croisic.

Nous découvrons d'abord Pornichet, ancien village de paludiers devenu à la mode. Le nom de sa plage, dite « des libraires », illustre assez bien sa réputation d'antan de rendez-vous des lettrés et son intimité de ville d'aujourd'hui. Une jolie chapelle ancienne est par exemple un lieu d'exposition d'œuvres d'art. Célèbre pour son hippodrome, on dégustera aussi à Pornichet maintes spécialités du littoral, avant d'aller admirer le complexe de plaisance sous la musique des haubans qu'agite le vent doux. De là se sont essayés et sont partis en mer bien des talents et des grands noms de la course du Rhum et des transatlantiques !

C'est La Baule bien entendu, au cœur de cette Côte d'Amour, qui jouit de la plus vaste réputation. Son micro-climat la justifie pleinement : au sein d'une côte déjà fort clémente, La Baule est rigoureusement protégée des vents. Au nord par les bois, à l'est par la pointe de Chémoulin, à l'ouest par la pointe de Penchâteau. Reste le bord de mer : il est plein sud.

Les élégantes d'aujourd'hui ont succédé aux élégantes d'hier, les restaurants, les glaciers et les boutiques luxueuses, aux cafés mondains d'autrefois. Les loisirs du complexe casino et thalassothérapie renvoient aux divertissements d'antan. Quant au ciel, au sable et à la mer, ils continuent de doter d'une même éternité les vacances d'été comme les villégiatures d'hiver.

Dans la ville, tout tend vers ce centre puissant qu'est la splendide plage. Un agréable entrelacs de ruelles a gardé la forme des allées cavalières d'hier, avec des pins immenses qui abritent un riche chassé-croisé de villas et de maisons estivales où se perpétue le bien-vivre ancestral des Pays de la Loire. Souvent célébrée par les cinéastes, La Baule a été immortalisée par nombre d'écrivains dont, pour les plus récents et tous deux Nantais, Pierre Maldonado et Michel Blot.

Pour accéder au Pouliguen, deuxième station de la Côte d'Amour, il faut franchir les ponts au-dessus de l'étier ; commence à se déployer le cadre d'une autre aventure — et pas la moindre des côtes atlantiques ! — : la pêche.

Avec le charme de son port préservé, de ses quais, de ses ruelles, de sa plage abritée, Le Pouliguen offre un inestimable séjour. Les tables y sont fort renommées, et un port de plaisance se dresse aujourd'hui... dans l'étier.

Passé Le Pouliguen, quelque pan de la géographie française semble avoir basculé ; dès les impressionnantes falaises de Penchâteau qui dominent la mer, le voyageur accède à une nouvelle identité côtière : la Bretagne. Les criques se succèdent, le vent se lève sur la mer... Nous sommes sur la « Côte Sauvage » (très justement nommée) qui s'étend jusqu'à la pointe du Croisic. Entre les rochers et les criques on s'exerce au kayak. On escalade les falaises, on se promène interminablement le long des longs chemins tracés qui dominent la mer, enfin on visitera Batz-sur-Mer, avec son menhir et son église remarquable, comme un avant-poste breton.

C'est la pêche qui marque le littoral nord de la presqu'île guérandaise et constitue son charme le plus profond. Au Croisic dont le port est toujours très actif, avec ses bateaux et son arrivage quotidien de poisson, il est indispensable de se prêter aux menus de fruits de mer dans les restaurants sis face au grand océan. Alors on apercevra peut-être, au milieu des jeunes gens qui se rendent à la plage, telle vieille femme habillée en costume breton ; ce n'est pas pour les touristes et la photographie : elle porte ses vêtements du jour. Celle-ci se rend à son travail : elle réalise, selon des gestes immués et savants depuis des siècles, des

Saillé.
Maison de paludier.

dentelles somptueuses que vous admirerez dans les boutiques des quais.

Après Le Croisic, très animé l'hiver pour la pêche à la crevette, on arrive à La Turballe, premier port sardinier de France. Avec sa criée qui se tient depuis toujours sur les quais — et aujourd'hui conçue pour une activité importante —, La Turballe est un étrange port à la fois authentique et moderne. Particulièrement apprécié des connaisseurs, il voit d'année en année ses nombreux sardiniers côtoyés par de plus en plus de... bateaux de plaisance.

Nous reprenons la route qui longe la mer. Nous doublons la pointe du Castelli avec ses étonnantes vues sur les criques rocheuses et le large. Puis nous accédons à Piriac, dernier port de pêche et centre balnéaire avant ceux du Morbihan. L'eau y est d'un précieux bleu turquoise et d'une pureté particulière. Symbole des frontières de la Loire-Atlantique ?

*
* *

La presqu'île guérandaise c'est aussi les terres, avec en leur cœur — d'où le nom de la presqu'île — la vieille cité de Guérande. Ces terres, bien entendu, sont fortement marquées par la mer : d'un côté les marais salants — qui constituent le « pays blanc » —, de l'autre le parc naturel régional de Brière. C'est en leur centre que se dresse la ville fortifiée de Guérande, si chère à Honoré de Balzac et à Julien Gracq.

Les marais salants du pays blanc s'étendent sur plus de deux mille hectares, du sud de La Turballe jusqu'au nord de La Baule. A marée haute, la mer pénètre entre La Turballe et Le Croisic à travers un vaste espace, vestige d'un ancien golfe marin qui allait jusqu'à Guérande, et constitue un réservoir naturel d'alimentation des marais. De fin juin à la mi-septembre — leur activité est donc visible en pleine période estivale ! —, les paludiers recueillent le sel célébrissime de Guérande, très riche en magnésium et singulièrement parfumé.

En tant que décor, les marais salants forment une sorte de paysage extraordinaire et surréaliste au sein duquel il est possible de se promener longuement. *La Presqu'île* de Julien Gracq est un texte qui célèbre cette fascinante dérive. La singularité du paysage a également frappé nombre de photographes et donné lieu à des albums réussis comme celui de Paul Morin, libraire à Nantes.

La richesse de l'antique cité de Guérande est inséparable de ce « pays blanc » ; c'est d'ailleurs l'étymologie de la ville fortifiée (« gwen-ran » signifiant en breton « pays blanc »). Il fut un temps où le précieux « or blanc », richesse des marais du pays guérandais, s'en allait à destination de l'Angleterre et de la Scandinavie.

*
* *

Guérande aujourd'hui est une cité intacte et un haut lieu du tourisme. On peut s'y promener comme on le faisait il y a plusieurs siècles. Quelquefois la ville est parée comme aux plus grands jours des marchés médiévaux. A l'intérieur de ses très beaux remparts, la cité fortifiée (« magnifique joyau de féodalité » disait d'elle Balzac) a su se moderniser sans changer de figure. Gageons que l'absence, du moins la très faible concentration d'automobiles dans la vieille ville, n'est pas étrangère au charme de cette Carcassonne de l'Ouest !

L'accès à la cité se fait toujours par quatre portes fortifiées. Le petit « boulevard de ceinture », qui fait le

En Brière. Chaumières du village de Kerhinet.

tour extérieur des remparts et décomposé en sections, porte le nom de ces accès : « boulevard du nord », « boulevard du midi »...

L'une de ces portes, que l'on désigne à Guérande sous le nom de « porte Saint-Michel » ou encore « le Château » (c'est la porte est de la ville) est l'ancienne demeure des riches gouverneurs du pays blanc. On y admirera de véritables curiosités de l'histoire régionale ainsi qu'un très instructif « plan » des marais salants, fort utile pour une expédition dans le pays blanc et une meilleure compréhension de son histoire.

Le cœur de la vieille cité, et son plus grand trésor, est sans doute la belle collégiale Saint-Aubin. Elle se dresse depuis le XIIe siècle au centre exact de la ville. Eglise romane et gothique achevée au XVIe siècle, Saint-Aubin est une sorte de sanctuaire subtil du clair-obscur, de la nuance. Petite « forteresse de Dieu » selon l'expression de l'écrivain nantais Alain Coelho, elle offre de l'extérieur une façade en granit, rehaussée çà et là de clochetons fins. A l'intérieur, c'est l'ombre qui frappe tout d'abord, et qui induit un recueillement lent, une concentration du silence qui brusquement s'élève, jaillit et se brise sous la lumière d'une magnifique verrière colorée du XVIIIe siècle !

Enfin nous ressortons. C'est le soir. Nous gardons encore en mémoire le bruit de nos pas dans le silence de l'église Saint-Aubin, tout près du chœur, sur la droite où nous avons découvert un sarcophage des premiers siècles... Et nous nous apercevons que nous marchons, dehors, croisons des enfants qui rient, une femme âgée sur sa bicyclette... Alors nous comprenons, comme nombre de visiteurs déjà, que le joyau des joyaux à Guérande est simplement respirer..., errer sans fin à la douce lumière de ses ruelles et ses places d'antan.

De même qu'à l'ouest de Guérande, vers la mer, s'étend le pays blanc, à l'est, vers les terres, aux limites de la presqu'île, se déploie le paysage non moins étrange du pays « noir » (allusion à son terreau de tourbe servant d'engrais) : la Brière.

En réalité, la Brière n'a de sombre que la tourbe invisible sous ses eaux. Elle se présente à nous comme l'immortalisa Alponse de Chateaubriant dès 1923 en une sorte de Venise sans palais ni demeures, avec des îles minuscules et multiples, une lagune infinie aux herbes triomphantes, sillonnée des étroits passages où les barques glissent, silencieuses, ignorantes à jamais de toutes les autoroutes. Qu'on se rassure, la Brière s'offre à qui veut la voir : les visiteurs emprunteront des barques collectives toute l'année proposées et deviendront eux aussi, le temps d'un charme étrange, ces Briérons des chalands qui se reconnaissent avec certitude au milieu du dédale bordé de roseaux de ces « petites Antilles ».

Immense avec ses dix-sept mille hectares de marais, le parc régional de Brière (40 000 hectares) déploiera pour eux, dans le silence des eaux, la beauté de ses fleurs au printemps, sa verdure vive d'été avec ses berges de terre noire et ses paisibles saules, ses rousseurs en automne quand les canards s'échappent d'un fourré de roseaux et s'envolent, s'ébattent au-dessus de nos têtes comme dans un rêve.

Pornic. L'ancien port
à marée haute.

Le pays de Retz

Au sud de la Loire, depuis l'estuaire jusqu'à la mer, s'étend une petite presqu'île au nez pointu, l'antique et grand pays de Retz. A l'époque romaine, le port de Rezé (qui donne son nom au pays tout entier) avait plus d'importance que Nantes et contrôlait le trafic de la Loire !

Si Rezé est aujourd'hui devenu presque un « faubourg » sud de Nantes, la forte unité et l'identité du pays de Retz se sont certes préservées au sein de l'actuelle Loire-Atlantique. Et l'ancienne région est toujours, selon l'expression du Nantais Marc Elder (prix Goncourt 1913), « l'étrange région où la Bretagne vient expirer dans la plaine ». Haut lieu de plaisance, de pêche et d'ostréiculture, le pays de Retz est aussi un espace préservé fortement intact de l'histoire de la Loire-Atlantique.

Si vous venez de Nantes, vous prendrez la « route de Pornic » (qu'il suffit de demander comme telle où que vous soyez pour qu'on vous l'indique). Vous laisserez bientôt Bouguenais à votre droite et atteindrez très vite Le Pellerin. Ancien lieu de passage des pèlerins pour Compostelle (d'où son nom) qui traversaient ici la Loire, vous verrez avec surprise et ravissement qu'un vieux bac fonctionne, que l'on peut encore emprunter. Singuliers raccourcis des temps modernes, vous êtes à une dizaine de kilomètres de l'aéroport international de Nantes, qui vous emmène aussi bien à Milan qu'à Düsseldorf !

Quittant les rives du Pellerin, vous admirerez peut-être les barques tranquilles des pêcheurs de civelles, tout en les trouvant un peu « nombreuses ». C'est que cette spécialité — fort recherchée — d'alevins d'anguilles est ajourd'hui exportée aussi bien en Espagne que jusqu'au Japon. Le pays de Retz est à l'image de cette dualité : un charme un peu mélancolique qui recèle de grandes activités et une ouverture sur le monde contemporain.

Sur la route, un peu plus loin, vous verrez à main gauche un panonceau qui annonce « Rouans »... Vous connaissez ce nom par le cinéma. N'hésitez pas à vous rendre vers le bourg et ses belles rivières ; se déploient devant vous les lieux si bien filmés dans *Le Grand Chemin*, et au café, face à l'église, on vous parlera volontiers de Richard Bohringer qui était si gentil pendant le tournage et si bon client !

Bientôt Paimbœuf s'impose devant vous, ancien avant-port opulent de la région nantaise pour la route des Antilles et la pêche à la morue. La ville offre aujourd'hui encore les traces de son passé glorieux. Il n'y a qu'à lever les yeux sur les riches demeures des anciennes allées. Le port a le charme singulier d'un port de Loire. Jules Verne, Nantais célèbre, jadis s'y est embarqué pour le grand large avant d'être rattrapé par son père et ne plus voyager que par... la littérature.

Vous faites dix kilomètres encore pour atteindre la pointe de Mindin ; face à vous, c'est la mer. Sur votre droite, au loin, une grande cité vous regarde de l'autre côté de l'estuaire. Au-dessus de vous, cette arche superbe — véritable œuvre d'art de plusieurs kilomètres au-dessus des eaux et qui rappelle Tancarville — est le pont qui vous relie à Saint-Nazaire et au nord de la Loire.

La Côte de Jade.
Petits voiliers
deviendront grands.

Au sud de la pointe de Mindin s'ouvre le pittoresque littoral de plages du pays de Retz. Une immense pinède, plantée sur le rivage, s'étend à travers Saint-Brévin-les-Pins, La Guerche et Saint-Brévin-l'Océan et les allées du bord de mer conduisent à d'agréables villas. Sur deux kilomètres de plage, les mimosas au printemps se mêlent aux pins le long des dunes de sable orangé, font resplendir les chênes, les romarins et les camélias.

Vous vous enfoncerez peut-être dans la forêt de pins. Amateur de préhistoire, vous partirez à la découverte des menhirs çà et là dressés, ou encore des dolmens comme celui des Rossignols (à Saint-Brévin-l'Océan) dont demeure la chambre funéraire.

Puis vous découvrirez enfin la rade Saint-Michel avant de passer à Tharon, vieille plage familiale que parsèment des pêcheries sur pilotis de bois. Peut-être vous arrêterez-vous plutôt à Saint-Michel-Chef-Chef, fief des gourmets de tous âges et de tous horizons. C'est ici que se fabriquent, depuis toujours et selon des recettes ancestrales, les sablés de Retz et les célèbres galettes Saint-Michel.

Longeant la côte, à quelques kilomètres à peine, vous découvrirez un site immense et sauvage : les impressionnantes falaises rocheuses de la pointe de Saint-Gildas. A vos pieds, inépuisablement, la mer se fracasse, grandiose, en un roulement de tonnerre !

Face à vous, au sud, ce trait dans la mer est l'île de Noirmoutier. Sur votre côté gauche, en bas, à perte de vue s'étend la Côte de Retz. Le sable est orangé, vestige millénaire des sables de la Loire, et les eaux sont d'un vert soutenu, qui ont donné leur nom à la succession des plages de cette « Côte de Jade ».

Passé La Plaine-sur-Mer, vieux village médiéval aux rues étroites, vous atteindrez Préfailles, plage traditionnelle des familles nantaises. Une source ferrugineuse est fréquentée depuis la fin du XVIIIe siècle. On y accède par un escalier à flanc de falaise ; elle coule en toutes saisons sous une étrange voûte en demi-cercle, presque au ras des flots.

Maintes petites plages de la Côte de Jade s'offriront aux marcheurs. Les autres se rendront peut-être directement à Pornic, capitale de la Côte de Jade.

Ancienne ville fortifiée, port important de la pêche à la morue jusqu'au XVIIIe siècle, Pornic garde de son passé brillant une remarquable architecture et une resplendissante intimité précieuse avec l'un des plus beaux châteaux prérenaissance de France. Aujourd'hui port actif aussi bien que station de plaisance fréquentée, Pornic offre aux visiteurs bien des curiosités particulières, tel le remarquable tumulus des Mousseaux, fort prisé des spécialistes, et plus grand site préhistorique de la région.

D'autres stations estivales célèbres ponctuent la Côte de Jade, depuis le sud de Pornic jusqu'aux limites de la Vendée. Les deux plus belles sont La Bernerie-en-Retz, fréquentée depuis 1860, et le vieux bourg médiéval de Moutiers-en-Retz. Vous êtes enfin en plein centre de la baie de Bourgneuf, vestige de l'ancien grand golfe de Bretagne.

*
* *

Une cité trônait, plus au nord, au centre géographique de la presqu'île que forme l'avancée du pays de Retz dans la mer : Saint-Père-en-Retz. Cependant, c'est Bourgneuf et Machecoul qui furent véritablement le cœur et le cerveau du pays de Retz, et les deux cités en gardent la somptueuse empreinte.

Lac de Grand-Lieu,
royaume de paix
pour les oiseaux.

Autrefois très florissante, Bourgneuf-en-Retz, à l'image de Guérande pour le nord de l'estuaire, fut pendant plusieurs siècles le premier port d'exportation du sel de Bretagne vers les îles britanniques et la Scandinavie. Aujourd'hui, la cité pittoresque offre, outre une vue imprenable sur le « marais breton » à partir du clocher de l'église (aménagé en salle panoramique), un très remarquable musée. Une salle y exhibe de précieux vestiges du pays, depuis la préhistoire jusqu'à l'époque mérovingienne. Des tablettes gallo-romaines côtoient d'étranges formes moustériennes ou magdaléniennes. Telle autre salle renvoie aux coutumes régionales. Une autre retrace l'histoire des peuples de la mer. Vous ressortez, enchanté et surpris, et vous rêvez en longeant un chemin pédestre, récemment aménagé à travers le « marais breton » dont les vases, fines et pures, scintillent au soleil devant vous à perte de vue.

*
* *

Machecoul, aujourd'hui actif centre commercial et célèbre pour son hippodrome, fut à l'époque féodale, au même titre que Rezé pour l'époque romaine, la véritable capitale du pays de Retz. C'est dire si la cité recèle un riche passé historique ! Elle s'annonce de bien loin à travers les marais grâce aux flèches de son église néo-gothique.

La splendeur du pays est très sensible à Machecoul avec son manoir de La Verrerie, vieille demeure de gentilshommes verriers de la Florence renaissante. On admirera aussi la chapelle des Calvairiens datant du XVIIe siècle, et l'on s'en ira, silencieux, rêver sur les vestiges de Notre-Dame-de-la-Chaume, ancienne abbaye bénédictine, ou encore errer dans la grande forêt, soit en passant par Saint-Même-le-Tenu soit en passant par La Marne.

Le site le plus impressionnant, qui s'étend de part et d'autre de la route d'ajourd'hui, est à Machecoul le château. Les ruines en semblent tout droit sorties d'un conte d'Edgar Poe et il fut, avec celui de Clisson, la forteresse sud de la Bretagne, ce jusqu'à la fin du Moyen Age et au rattachement de la Bretagne à la France. C'est ici que régna — en maître qui dicta sa loi aux ducs de Bretagne — un certain Gilles de Rais (vieille orthographe pour Gilles « de Retz »), compagnon de Jeanne d'Arc, seigneur de Machecoul de sinistre mémoire, et baron de Bretagne ; plus connu depuis l'auteur de contes, Charles Perrault, sous le nom de... « Barbe-Bleue ».

*
* *

Laissant à notre droite Legé, dernière cité du pays de Retz et lisière de la Vendée, nous remontons vers Nantes et parvenons dans la très belle région du lac de Grand-Lieu. Délimité par Bouaye et Saint-Aignan-de-Grand-Lieu au nord, Saint-Philbert-de-Grand-Lieu au sud, le lac est une sorte d'immense et mélancolique marais. Il est relié à l'estuaire de la Loire par le chenal de l'étier de Buzay, chenal qu'on appelle aussi, plus simplement, l'Acheneau (de « chenal »). Le site a été choisi pour édifier de bien belles demeures qui se mirent dans ses eaux, tel le manoir de Saint-Mars-de-Coutais.

Avec ses rives couvertes de grandes herbes et très apprécié des touristes durant l'été, le lac de Grand-Lieu possède des contours assez vagues, très mobiles selon les saisons et au gré du niveau de la Loire. La superficie du lac, 7 000 hectares l'hiver, est réduite de moitié au cours de l'été. Quant à la profondeur, elle varie également du simple au double au fil de l'année : en moyenne de deux mètres l'hiver, elle est seulement d'un mètre pendant les mois d'été.

Le Gâvre.
Pays de schiste et d'ardoise.

L'accès de ce site pittoresque, réserve ornithologique extraordinaire — mais aussi lieu de pêche à l'anguille, à la tanche et... au brochet ! — se fait par un seul endroit « stable » : Passay. Là lors d'une promenade privilégiée en barque, comme on le fait dans le parc de Brière, on admirera les oies et les cygnes sauvages, les grèbes et les hérons...

Des légendes, bien entendu, abondent au sujet de ce lac mystérieux dont l'étendue est sans cesse changeante. On dit même qu'il recouvre une ville ensevelie, du nom d'Herbauges. La répercussion des cloches des églises environnantes est telle sur la surface du lac qu'il paraît que, le soir de Noël, c'est le clocher de la ville engloutie qui continue à sonner...

Si les abords du lac ont vu s'ériger de belles cités aujourd'hui préservées, comme Pont-Saint-Martin et Saint-Aignan-de-Grand-Lieu, c'est Saint-Philbert-de-Grand-Lieu qui est la plus célèbre. La petite ville, peuplée de plus de cinq mille habitants, est le « camp de base » rêvé pour une villégiature entre le lac de Grand-Lieu et la belle rivière boisée, la Boulogne, qui donne dans le lac.

Saint-Philbert-de-Grand-Lieu, en outre, abrite l'une des plus belles et des mieux conservées des églises abbatiales de France. Construite à l'époque carolingienne, entre l'an 815 et l'an 819, l'abbatiale (dont seul le toit a été refait aujourd'hui) a supporté l'assaut d'envahisseurs venus par l'Acheneau en 847... Les Vikings ! L'église leur a, fort heureusement, survécu. Elle s'offre à qui entre aujourd'hui sous sa nef comme un miracle de lumière et d'ocre, avec de larges colonnes pâles, où résonne l'étrangeté des siècles disparus...

Terre de rêve et terre d'histoire, ici règne une douceur singulière. C'est près du lac, face à l'abbatiale de Saint-Philbert-de-Grand-Lieu, que l'on percevra sans aucun doute au mieux, le charme sans fin de l'antique pays de Retz.

Au nord de Nantes

A trente-cinq kilomètres au nord de Nantes, sur le chemin de Redon et de l'Ille-et-Vilaine, trône la vieille cité de Blain, importe ville-étape du canal de Nantes à Brest. Avec son ancien pont sur le canal, son prestigieux château, ses belles maisons du XVe siècle, la grande forêt du Gâvre alentour, Blain est une petite ville active où réside sans aucun doute, pour la région des terres, la véritable lisière de la Loire-Atlantique avec ce qui demeure de l'ancienne Bretagne.

Le château à lui seul abrita jadis une véritable cité, depuis le XIIe siècle jusqu'au début de la Renaissance où il devint propriété de la puissante famille des Rohan. Ville forteresse des protestants français, le grand château de Blain vit ses fières fortifications mises à bas au début du XVIIe siècle par Richelieu. Vous vous enfoncerez, au détour du canal, des murailles ou des bois, près de la belle tour du Pont-Levis, ou encore de l'antique pignon du Connétable. Vous regarderez l'étrange petite porte face à vous, surmontée d'une tour à clocheton ; là, jadis, se dressait le pont-levis et, sous vos pas, à l'endroit exact où vous vous trouvez, coulait l'eau des douves... Sur la tour elle-même, le chemin de ronde est intact ainsi qu'une partie des anciens remparts. De

Le très imposant calvaire de Pontchâteau.

l'autre côté, au nord, la haute tour dite « du Connétable » répond à la tour du Pont-Levis. Elle se dresse en plein cœur des herbes. A gauche, de grands arbres règnent sur les anciennes murailles, tandis que face à vous, immobile depuis le XIVe siècle, la tour d'Olivier de Clisson préserve la splendeur et le charme de Blain, ancienne citadelle. Il est possible, en se promenant, de reconstituer aussi les contours de l'ancienne cité Renaissance ; ici, au détour du chemin, enfoui dans les herbes tel un joyau préservé par l'écrin de la nature et des siècles, vous admirerez, stupéfaits, l'antique chapelle Saint-Roch, dévorée par la végétation. Enfin ce sont l'eau (celle du canal) et la forêt qui dotent Blain de son halo fortement singulier, tant admiré, et qui fit la joie des grands écrivains romantiques au siècle dernier. Car Blain est la cité d'une des plus belles petites forêts de France : le vieux domaine du Gâvre.

Aujourd'hui de 4 500 hectares, la forêt s'étendait sur plus de 7 000 à la Renaissance, et son charme vous étreindra comme il saisit, au siècle dernier, d'illustres passants qui en parlèrent : Chateaubriand, Hugo, Balzac, Flaubert, Maupassant...

Mythique en Loire-Atlantique, depuis Nantes jusqu'à la pointe de la presqu'île guérandaise, cette forêt « romantique » alimenta bien des superstitions et des légendes populaires. Tels vieux habitants de Saint-Nazaire évoquent parfois devant les néophites, avec un malicieux sourire, la forêt du Gâvre et ses chasses... au lion. On y pratique aujourd'hui, plus sérieusement sans aucun doute, la chasse à courre.

Vous dériverez avec bonheur à travers les immenses futaies de chênes, de hêtres et de pins... Rassurez-vous : il existe nombre de points de repère, de carrefours et de belles allées forestières pour ne pas vous y perdre.

En pleine forêt, quittant un instant les tapis de fougères, vous verrez à La Magdeleine se dresser la belle chapelle d'une ancienne léproserie du XIIe siècle... Vous pouvez y entrer ; il paraît qu'il n'y a pas de lion.

*
* *

Aux limites ouest de l'ancien domaine du Gâvre, Pontchâteau est aujourd'hui la porte de la Brière et du pays guérandais. Située entre Nantes et la route du Morbihan, Pontchâteau est une petite cité active fort pittoresque. Au hasard de ses ruelles et de ses collines (le relief est très varié), vous accéderez au célèbre calvaire qui reconstitue, à travers des statues monumentales et blanches telles des ombres surgies du passé, l'histoire de la Passion du Christ. Loin du volume exigu des catéchismes, la scène s'étend sur un grand tertre qu'arpentent parfois des milliers de visiteurs et de pèlerins.

Un peu plus au nord de Pontchâteau, à treize kilomètres, vous parviendrez à Missillac. Vous êtes à l'un des sites les plus remarquables de la Loire-Atlantique : devant vous semble se dérouler le film surréaliste d'un rêve de Louis II de Bavière, et se dresse l'un de ses somptueux châteaux tout droit sorti d'un décor de Visconti. Les pierres crénelées se mirent dans un étang qui entoure le château en un songe vénitien... Des donjons paraissent avoir pris corps à partir d'images féeriques de l'enfance ; derrière, une forêt verte et dense fait songer aux contes les plus lointains et à quelque châtelaine, jadis, « oyant » à sa fenêtre un rossignol... Mais le rêve est réel. Le très beau château de la Bretesche est tout entier devant vous.

Ce site remarquable certes n'est guère passé inaperçu. Aujourd'hui le domaine de la Bretesche est un des trésors du département et offre — signe des temps — un complexe hôtelier et un terrain de golf à l'image des charmes de son château Renaissance : très recherchés.

Le « Bosphore nantais ». L'Erdre, large et lente, bordée de châteaux et de gentilhommières sur près de 30 kilomètres.

La vallée de l'Erdre

L'Erdre, que François Ier qualifia de « plus belle rivière de France », offre une superbe vallée d'une trentaine de kilomètres. Les rives sont tranquilles et verdoyantes, avec leurs demeures, leurs gentilhommières, leurs châteaux et leurs bois où il fait bon se promener des heures entières.

C'est à Nantes qu'on embarque, en plein centre ville. Des bateaux-restaurants font la promenade depuis le quai de Versailles jusqu'à l'embarcadère de Sucé-sur-Erdre, comme cela se faisait dès le XIXe siècle (les bateaux-promenade étaient appelés alors des « abeilles » par les Nantais qui contemplaient l'Erdre des ponts). Ensuite, vous emprunterez une barque pour découvrir les jolis ports sur Erdre que sont Nort et Joué. Il existe également bien des accès routiers. Les étudiants de Nantes le savent qui, depuis des décennies, près de l'université s'attablent lors des beaux jours face à l'Erdre, sur les quais de la Jonelière, où fleurissent les clubs d'aviron et de sports nautiques.

Peu après, sur la rive droite, vous découvrez une immense construction moderne et basse qui a le bon goût de s'intégrer harmonieusement aux berges : c'est le parc des Expositions de la Beaujoire, l'un des plus grands d'Europe. Ici se tiennent des rendez-vous nationaux et internationaux. L'économie et les loisirs s'allient aux charmes d'un site rare : ont lieu ici, régulièrement, les célèbres Floralies internationales, qui composent chaque fois pendant quelques journées le plus grand jardin du monde. Autre notoriété voisine, le stade de la Beaujoire. D'architecture futuriste, il est devenu synonyme de grandes rencontres internationales sportives : le football à Nantes, il est vrai, tient une place de choix avec ses fameux « canaris ».

Après la Beaujoire, vous vous enfoncez vers le charme, les eaux, le silence et les bois. Sur votre gauche se dresseront bientôt les châteaux, entourés de jardins et de rives boisées. Le climat y est doux. Il semble que la vallée verdoyante et boisée soit une émanation de la « douceur angevine » chère à Joachim du Bellay, illustre voisin du Maine-et-Loire.

Vous admirerez La Houssinière, où se promena le symboliste Villiers de l'Isle-Adam venu de Paris chercher le calme et l'inspiration. Puis Le Tertre, La Poterie, Le Bignon, La Desnerie (splendide demeure de style Louis XIV), se dressent dans le silence et la douceur de l'Erdre. Enfin, vous découvrirez — sans conteste le plus beau de la vallée — le château de La Gacherie. Remarquable édifice Renaissance, construit par le grand argentier de Bretagne, il appartint aux Rohan ainsi qu'à la famille de Charette.

L'accès par la route se fait au mieux par La Chapelle-sur-Erdre, calme et vieux bourg qui se trouve à un kilomètre de l'Erdre. Tout autour de vous, à travers les feuillages, vous découvrirez aussi de jolies villas, demeures pittoresques, parfois même des « folies », qui témoignent d'un art de vivre choisi et miraculeusement préservé à l'état de chance et de secret.

Un autre grand accès par la route se fait par Sucé-sur-Erdre qui mérite, plus qu'un détour, une halte véritable. Son bel embarcadère sur l'Erdre fait songer parfois au Japon ; des canards sauvages s'envolent à vos pieds, hésitent, se posent à nouveau sur les lattes de bois qui tanguent mollement sur l'eau pure si prisée jadis des lavandières... Les charmes de Sucé accompagnèrent sans doute bien des « méditations »

Reflets de Nort-sur-Erdre.

du grand Descartes dont une villégiature favorite, tout près, fut le manoir de Chavagnes. Il y revint aux heures les plus difficiles de l'élaboration de son *Discours de la méthode*.

Ici l'Erdre fait un coude entre les bois et, vue du quai de Sucé, elle s'offre comme un lac près duquel on demeurerait des heures à rêver. Rassurez-vous, à quelques mètres de vous, ces demeures anciennes avec leurs fenêtres qui donnent sur la rivière sont de très bons restaurants !

Les bateaux venus de Nantes ne vont pas au-delà de Sucé, il vous faut prendre une barque pour continuer votre expédition. L'Erdre change de nature, s'élargit considérablement : vous êtes sur les eaux du lac de Mazerolles, haut lieu de la pêche. Sur votre gauche s'ouvre une aventure qui nous mènerait loin : jusqu'à Brest, à travers 385 kilomètres de navigation.

Aménagé pour son premier tronçon — entre Redon et Rennes — au XVIe siècle, le canal de Nantes-à-Brest (car c'est son nom) sera fortement développé sous l'impulsion de Napoléon Bonaparte. Mais le projet extraordinaire de faire communiquer en une voie ininterrompue de rivières et de canaux la vieille cité des ducs, Nantes, avec Brest, le grand port du Finistère, ne sera achevé qu'en 1838.

Aujourd'hui des péniches, çà et là, glissent entre les rives tranquilles, et constituent l'important trafic du transport du sable. Le tourisme aussi s'empare de ce site insolite et la navigation de plaisance est en passe de prendre le relais des échanges commerciaux du second Empire.

Mais nous reprenons l'Erdre qui se resserre après l'étang de Mazerolles, et peu après le croisement du canal, nous parvenons à Port-Mulon qui offre, dans les trouées de lumière de ses berges boisées, le charme de belles gentilhommières. Ce charmant parc, ouvert au public, est celui de l'ancien château des Bejary. Tout près, s'étend le vaste hippodrome de Nort-sur-Erdre qui rivalise avec ceux de Pornichet et de Machecoul et constitue le centre d'entraînement hippique le plus important de l'Ouest.

Nort-sur-Erdre se dresse devant nous, glorieuse cité ancienne. Des fouilles ont mis à jour des sarcophages du VIIIe siècle, par centaines et sur plusieurs hectares, qui attestent d'un très important centre urbain de l'époque mérovingienne. Le charme de Nort-sur-Erdre est véritablement, au sens propre, d'être une ville « sur » rivière, et d'être régie entièrement par la vie de l'Erdre.

Peu après, nous atteignons Les Touches et sa belle colline de Mont-Juillet. Aujourd'hui calvaire, c'est ici que l'on trouva des haches préhistoriques qui indiquent un gisement humain au néolithique.

A mi-chemin entre Nantes et Châteaubriant, se dresse sur l'Erdre la ville de Joué, véritable porte du pays de « la Mée » (ou de Châteaubriant). A un kilomètre du bourg, du sommet de la butte de Beau-Soleil s'étend de toutes parts un paysage merveilleux : le bourg de Joué apparaît encadré par ses deux beaux châteaux, La Lucinière et La Chauvelière... Au loin s'écoule l'Erdre... Tout près scintille la grande étendue du lac de Vioreau. Beau plan d'eau où des voiles s'ébattent ; avec ses berges sablonneuses, le lac est un important réservoir naturel. Il communique avec les étangs voisins et alimente les eaux du canal de Nantes-à-Brest. Autour de lui, se déploie une très belle forêt aux limites de laquelle se dresse depuis des siècles l'un des plus beaux joyaux de la Loire-Atlantique : l'abbaye de Melleray.

C'est deux kilomètres après La Meilleraye-de-Bretagne (le bourg, à la différence du nom de l'abbaye,

L'ancienne hôtellerie
de l'abbaye de Melleray.

s'écrit avec un « i » et un « e » final), que se mire, au bord d'un étang, le magnifique édifice roman. Bâtie sur le roc, protégée d'un mur d'enceinte de plus d'un mètre d'épaisseur qui abrite son église et son monastère, l'abbaye de Melleray fut fondée au XIIe siècle par des moines cisterciens. Réhabilitée et « sauvée » après la Révolution grâce à un armateur nantais, l'abbaye sera rachetée au début du siècle dernier par des cisterciens anglais et ainsi rendue aux moines de l'ordre de Saint-Benoît. Dès 1830, près de deux cents personnes vivent à nouveau comme au XIIe siècle au sein de la vieille abbaye, cultivent le sol, réorganisent les étables, se consacrent à l'apiculture avec brio et efficacité... Aujourd'hui, les moines cisterciens vivent toujours à Melleray (épargnée par les inventaires de 1905) de la même manière qu'autrefois, recueillis et tranquilles, à quelques années à peine de notre troisième millénaire. Il y a certes une modification : l'abbaye ne détient plus ses ressources, son autonomie et le luxe de son silence, des travaux agricoles... mais de sa pratique de l'imprimerie moderne et du traitement de texte.

Au sortir de l'abbaye, les forêts de Riaillé prolongeront un peu la quiétude méditative que vous avez éprouvée. Deux étangs superbes renvoient le calme des bois : la Poitevinière et la Provostière.

Peu après, vous accéderez à Bonnœuvre avec ses vieux ponts sur Erdre et leurs étranges arches de pierre. Ici, plusieurs bras de l'Erdre, où trônaient jadis des moulins, constituent d'agréables petites îles ombragées. Secret farouchement préservé par les connaisseurs : c'est sous ces peupliers, ces aulnes et ces vieux chênes que vous pratiquerez aux beaux jours les joies d'un authentique « déjeuner sur Erdre ».

Plus loin, La Motte-Glain orne les alentours de « la plus belle rivière de France » d'un de ses plus magnifiques châteaux Renaissance. Un carrefour, tout près, porte le nom de « la joie ! », cri de ralliement ancien, et le château lui-même offre des sculptures de coquilles et de bâtons de pèlerins. Des concerts et des expositions se déroulent aujourd'hui dans ce cadre rêvé où, jadis, se donnaient rendez-vous d'autres « amateurs » et d'autres pèlerins : ceux qui partaient pour Compostelle.

Bientôt l'Erdre semble changer de nature, remonte vers sa source dans le Maine-et-Loire... Ceci est une autre histoire et semble un autre continent. Est-ce un clin d'œil de la langue française, avec ses calembours et ses tonalités de sens parfois singulières et surréalistes ? Car aux limites de la Loire-Atlantique, entourée de forêts et du curieux pigeonnier d'un château du XIVe siècle réaménagé en... château d'eau, la dernière cité, Saint-Mars-la-Jaille, semble en effet s'ouvrir sur de tout autres planètes : ses habitants s'appellent... les Marciens.

Le pays de Châteaubriant

Le nord-est du département de la Loire-Atlantique est constitué par le pays de Châteaubriant, appelé aussi pays de la Mée, c'est-à-dire pays du « milieu » de Bretagne. Car la Bretagne s'étendait jadis jusqu'à Clisson, Nantes, Ancenis, La Motte-Glain, Fougères et Châteaubriant. Ces places fortes formaient les célèbres « Marches de Bretagne », sorte de ligne fortifiée des frontières du duché jusqu'à son rattachement à la

Châteaubriant.
La maison de l'Ange.

France. Belle région bocagère, riche en forêts et en étangs, du point de vue économique le pays de Châteaubriant compte en outre au sein de l'agro-alimentaire français.

Aujourd'hui la marque de la splendeur féodale passée est imprimée au cœur de la ville moderne de Châteaubriant où trône le vieux château. Bien des amateurs inspirés, face à ce site tout droit sorti des romans de la Table ronde, imaginent admirer enfin face à eux le château où naquit et vécut le romantique célèbre entre tous : Chateaubriand.

En réalité il s'agit là d'une pure homonymie, et le romantique René vécut entre Combourg et Saint-Malo. Le château de Châteaubriant — comme la ville et le pays — s'écrit avec un « t » final et non un « d ». Il tient en fait son nom des seigneurs de Briant qui tinrent tête sur ces remparts, au nom du duché de Bretagne, aussi bien aux comtes d'Anjou qu'aux rois de France (lesquels sont responsables, soit dit en passant, de l'état de destruction actuel de la partie gothique qui subit leurs assauts), et la cité de Châteaubriant fut bien des fois le nerf et le cerveau qui préserva la Bretagne. Après le rattachement de la Bretagne à la France, il fut même un temps, sous François Ier, où le gouvernement de Bretagne, nommé par le roi, se tint... à Châteaubriant. La cité fut ainsi, pendant quelques décennies, le centre politique de la Bretagne. Expliquons que le gouverneur Jean de Laval fut alors en grâce auprès de François Ier qui goûtait fort... son épouse, la châtelaine de Châteaubriant, Françoise de Foix, dont il fit sa maîtresse et sa favorite.

C'est alors que le génie de la Renaissance — dont les voies sont impénétrables — donne son empreinte au pays ; la partie « neuve » (elle est du XVIe siècle !) de la forteresse ancienne témoigne de l'architecture fleurie du gothique flamboyant des châteaux de la Loire.

Ce qui fait le charme étrange de Châteaubriant, cependant, reste sans aucun doute la situation à la fois imposante et familière de la vieille cité dans la ville moderne. Sur une légère butte, trône le vieux château. On y accède très familièrement par les ruelles du centre et la plus fréquentée est à quelques dizaines de mètres de l'antique place forte.

Ici, au bout de la place, près de la vitrine du grainetier, on passe sous une arche de pierre ombragée : c'est l'ancienne « porte Neuve » de la ville du XVIe siècle. Là, face à de jolies boutiques très fréquentées — et de merveilleuses pâtisseries — une étrange maison brune à croisées, aux fenêtres Renaissance, se dresse depuis le XVe siècle. Elle porte le nom évocateur de « maison de l'Ange ». Elle semble vous inviter à vous perdre au fil de l'itinéraire médiéval du vieux Châteaubriant comme en un lointain Eden.

Aujourd'hui importante sous-préfecture en pleine expansion industrielle et commerciale, la ville de Châteaubriant se situe parmi les quatre grandes villes du département (aux côtés de Nantes, Saint-Nazaire et Ancenis). Elle rayonne sur de nombreux bourgs comme autrefois sur son propre pays, et conduit à travers des forêts à de beaux étangs et des plans d'eau. Qui a vécu à Châteaubriant sait à quel point ces sites alentour ont de l'importance pour les Castelbriantais et l'on peut dire que la cité est loin d'être repliée sur elle-même.

Lieu de promenades, de sports nautiques et centre équestre, le pays de Châteaubriant est une terre de bien-vivre à la croisée exacte de la Bretagne et de l'Anjou. Au nord, ce sont les belles forêts de Teillay, de Fercé et d'Araizé. Elles tracent les frontières de la Loire-Atlantique avec l'Ille-et-Vilaine et la Mayenne. A l'est, la grande forêt de Juigné est l'extrême avancée du pays de la Mée avant le Maine-et-Loire. A l'ouest, la forêt de

Clôture en palis d'ardoise
au pays de Châteaubriant.

Lusanger ouvre sur Derval et Guémené-Penfao, portes du Morbihan. Au sud, les forêts d'Ancenis et de Saint-Mars annoncent le val d'Ancenis qui s'étend jusqu'à la Loire.

Châteaubriant, à l'épicentre exact de ce périmètre, rayonne aujourd'hui encore sur cet espace d'antan. La vieille cité dénommée jadis — et fort justement — la « reine des forêts », fut le grand centre économique dont les nombreuses carrières, tout autour de la ville aujourd'hui commerçante, témoignent des gisements en minerais de fer, exploités dès l'époque romaine, et qui firent la richesse et l'unité du pays.

*
* *

Au nord de Châteaubriant, Béré, ancienne cité médiévale, est aujourd'hui un bourg au sein de l'agglomération de la ville. Vous y admirerez l'une des plus belles églises romanes de Bretagne : Saint-Jean-de-Béré. Une impression de silence et de paix se dégage de la masse pâle, couleur de rouille, du petit édifice construit au début du XIe siècle. Les murs sont en grès rouge, les escaliers sont de lourds pans d'ardoise dont la première marche s'effrite sous les milliers de pas qui l'ont empruntée. Derrière, des jardins verts s'adossent, avec intimité, contre les vieilles parois de pierre de la petite nef... Toute l'église semble un vaisseau venu d'une autre époque, avec des meurtrières taillées dans le grès, comme pour témoigner de quelque cœur, de quelque centre atteint et préservé vivant. Tout autour il faut imaginer la foule, les lumières et la vie des grandes foires qui se tenaient jadis, et dont quelque tableau de Bruegel seul pourrait rendre compte ou, plus simplement, en se rendant en septembre à la grande foire annuelle de Béré dont l'usage a perduré au travers de dix siècles !

Au nord du pays de Châteaubriant, Rougé, jadis extrême limite de la région, offre le charme de son réseau de chemins pédestres jusqu'à la grande forêt de Teillay. Un peu plus loin, à l'est, vous découvrirez l'étrange site de La Hunaudière, avec sa belle maison du maître de forges qui se mire dans les eaux calmes du grand étang. Sur les rives, dont l'intense activité fut liée bien entendu au fer (Sion-les-Mines est à moins de dix kilomètres), vous verrez quelques belles maisons du XVIIIe siècle, propriétés des directeurs des forges, ainsi que le village des ouvriers avec ses pittoresques petites maisons.

La forêt de Lusanger est à moins de cinq kilomètres de l'étang, en direction du sud. Si, par contre, vous remontez vers l'est, à moins de cinq kilomètres également, s'offre devant vous Saint-Aubin-des-Châteaux qui domine la vallée de la Chère. Une très belle chapelle — sorte de petite église fortifiée — retiendra votre attention par son charme et son étrangeté : on l'appelle la chapelle des Templiers. En réalité, aucun templier jamais ne vint à Saint-Aubin-des-Châteaux et la chapelle, longtemps supposée antérieure à cause de son aspect singulier, n'a sans doute été construite qu'au XVe siècle. Il n'empêche que l'impression est toujours très forte et qu'elle n'est pas sans faire songer — en miniature — à l'abbatiale de Saint-Philbert-de-Grand-Lieu qui date des Carolingiens ! Son destin, il est vrai, a toujours été très curieux : elle servait de grange et devint même un garage avant d'être considérée comme monument historique et restaurée... en 1972.

Au sud, en direction de Moisdon-la-Rivière, se trouve le bourg charmant de Louisfert, immortalisé par René-Guy Cadou qui y vécut et y fut instituteur. Dans ce beau « village emmuré de forêts » (selon l'expression du poète), un étrange édifice fera la perplexité des amateurs

Château de La Poitevinière.

de préhistoire : un calvaire est constitué de menhirs et de mégalithes... préhistoriques. En réalité, c'est un aumônier de la prison de Châteaubriant qui s'adonna à ce collage quelque peu « surréaliste » et réemploya, aux fins de l'érection d'un chemin du Golgotha, d'authentiques menhirs ! La région, certes, en regorgeait depuis la préhistoire ! Cela se passa, bien entendu, avant la protection des sites historiques ; ce très curieux calvaire fut édifié entre 1870 et 1890.

Au sud de Louisfert, vous découvrirez Moisdon-la-Rivière. Petite cité boisée, entourée d'étangs, elle fut jusqu'au siècle dernier un des centres importants de la production ferrugineuse française. La Forge-Neuve se visite et vous suivrez une exposition sur l'ancienne métallurgie en pays de Châteaubriant, qui se révèle des plus instructives et des plus passionnantes pour comprendre les grandes heures du pays de la Mée.

Plus au sud, au Grand-Auverné, vous verrez se dresser, à un détour du chemin, un joli manoir à tourelles du XVIe siècle. Il avait les faveurs du prince de Condé qui s'y rendait lors de ses chasses au « pays des forêts » qu'était alors la Mée. Signe d'une région préservée, vous serez peut-être surpris de la liberté qu'y prend tel ou tel « gardien » qui déambule dans les lieux : rassurez-vous, il s'agit sans doute du propriétaire, et le manoir, depuis toujours habité, n'est pas devenu un musée.

Droit sur l'est, près de la grande forêt de Saint-Mars, Saint-Sulpice-des-Landes est la dernière petite cité de Loire-Atlantique avant Candé (Maine-et-Loire) et la Mayenne. Dans le vieux bourg réside un trésor. Il est caché au cœur d'une vieille église, basse et fermée à la manière des vieilles chapelles bretonnes : le trésor est dedans. Il ne s'agit pas exactement de « richesses », mais d'une œuvre d'art rarissime : d'authentiques peintures murales du XVe siècle. Le Moyen Age et la Renaissance sont tout entiers fondus, entremêlés devant vous dans ces scènes où les fureurs de l'Enfer, saisissantes, côtoient la paix d'un concert d'anges qui occupe toute la voûte de l'édifice ! Cas unique dans toute la région, miraculeusement préservées, ces scènes sont parvenues jusqu'à nous à travers le petit bourg du vieux pays de la Mée.

Nous remontons, au nord, vers Châteaubriant et la forêt de Juigné. A Saint-Julien-de-Vouvantes, peut-être chercherez-vous les trois fontaines miraculeuses dont parlent les vieux habitants : l'une guérirait de la fièvre, l'autre des maux d'yeux, la troisième de la gale. Vous les trouverez facilement ; elles sont à droite, à la sortie du bourg en direction de La Chapelle-Glain.

Quant à savoir si elles sont efficaces..., ce n'est pas à Saint-Julien-de-Vouvantes — où la vie est si douce — que courent les galeux, les mains pressées sur leurs yeux douloureux et brillants de fièvre.

*
* *

Au terme de ce bref tour d'horizon, comment quitter le si riche pays de Châteaubriant sans le faire à Juigné-les-Moutiers ! Frontière avec le Maine-et-Loire, le site est aussi la frontière la plus symbolique qui soit (et la plus pacifique aussi) entre l'antique Bretagne et le vieil Anjou. Juché au sud de la forêt de Juigné, un prieuré, dont demeurent de magnifiques parties gothiques, y fut fondé au XIIIe siècle, La Primaudière. Et il fut édifié avec, exactement en son centre, le ruisseau qui séparait la Bretagne et l'Anjou. Ainsi depuis le bâtiment où vous vous trouvez — en Bretagne — si vous faites quelques mètres pour gagner la chapelle, en franchissant seulement cette sorte de « Rubicon », vous venez de quitter un immense pays venu du plus lointain des temps gaëliques, et de poser le pied en Anjou.

Le pont de Saint-Nazaire-Saint-Brévin enjambe la Loire.

En remontant la Loire du port de Saint-Nazaire aux portes de l'Anjou

Le dessinateur Hergé, créateur de Tintin, a dessiné Saint-Nazaire. C'est là qu'il situe en effet les huit dernières pages de l'album, *Les Sept Boules de cristal*. Nous entrons — avec Tintin et Haddock — dans une ville ancienne dont le cœur est bien vite le vaste port et là, sur des quais immenses où se croisent les marins, attend à quai un paquebot de voyageurs pour... l'Amérique du Sud.

Contrairement à ce que l'on pourrait croire, Hergé n'a commis aucune erreur : au moment où il dessine son livre, Saint-Nazaire est le grand port français des lignes transatlantiques. Et le « toot ! » d'appareillage du vaste paquebot devant lequel se quittent Tintin et le général Alcazar, avec pour tout horizon la mer qui mène en Amérique, résonne alors sur le port de Saint-Nazaire depuis des décennies. De même, en 1925, un jeune homme de quinze ans, Louis Poirier, assiste à l'impressionnant départ du paquebot transatlantique *L'Ile-de-France*. Cet appareillage, de son propre aveu, laissera une empreinte fondamentale dans son œuvre à venir ; il est plus connu, depuis, sous le nom de Julien Gracq.

Port de la célèbre Compagnie générale transatlantique, Saint-Nazaire fut aussi, et avant tout, un très important centre de construction navale avec ses deux bassins, dont celui de Penhoët. Directement sur l'estuaire de la Loire et encore aujourd'hui l'un des plus vastes du monde, c'est à Penhoët que furent construits le *La Fayette*, le *Champlain*, le croiseur *Jeanne d'Arc*, de même que bien des vaisseaux et des sous-marins à destination du Portugal, du Brésil, de la Norvège ou encore des Etats-Unis. De ces cales aussi furent lancés des paquebots mythiques comme le *France* et le *Normandie* et des cuirassés comme le *Jean Bart*.

Cité tout entière tournée vers l'économie de son port et de ses chantiers, Saint-Nazaire offre une culture populaire et ouvrière des plus fortes de France. Véritable originalité de la ville, elle explique que des sites collectifs, bibliothèques, « maison du peuple », soient une réalité dans la vie de la cité. Reconstruite entièrement après les bombardements de la Seconde Guerre mondiale, Saint-Nazaire offre des immeubles bas, des rues claires et régulières qu'anime une véritable foison de cafés aussi fréquentés que chaleureux. Saint-Nazaire est en outre, l'été, une plage animée, la première de la Côte d'Amour sur la route de Saint-Marc et de Sainte-Marguerite.

Après des décennies de crise, la ville — deuxième de Loire-Atlantique et capitale française de constructions navales — se relève fièrement : devenue « zone atlantique internationale », le complexe que Saint-Nazaire forme avec ses satellites et terminaux (Donges, Lavau, Montoir) brigue aujourd'hui une place au sein du transit international d'Anvers et de Rotterdam.

Quinze kilomètres après Saint-Nazaire, en direction de Nantes, apparaît Donges. Ce grand centre pétrolier de France est aussi une curieuse cité ouvrière avec ses multiples maisons basses et tranquilles. Plus d'un photographe a immortalisé l'étrangeté toute futuriste

Trentemoult
sur l'autre rive...

du site, et il existe bien des image, exposées çà et là dans telle galerie d'art, de Donges vue comme une base lunaire !

Nous remontons la Loire encore par la route. Nous parvenons à Savenay, à mi-distance entre Saint-Nazaire et Nantes. Une belle colline se dresse au loin, c'est la vieille cité. Un très beau lac calme s'étend où passent de petits bateaux à voile et des canots. Tout autour, des promenades dans les bois ombragés conduisent au passé... ; dernier haut lieu des guerres de Vendée, c'est ici que les restes de l'armée des « Blancs » ont franchi la Loire, et ont connu leur défaite décisive face aux généraux « bleus ».

Bientôt — nous délaissons les voies rapides et prenons l'ancienne petite route qui mène à Nantes —, la Loire se montrera peut-être dans la trouée des champs, au détour d'un virage, sinueuse au loin avec ses bancs de sable. En face, sur l'autre rive, se dressent les maisons des anciens petits villages du pays de Retz.

Nous laissons Cordemais et son importante centrale électrique et parvenons à hauteur de Saint-Etienne-de-Montluc. A la Guillonnière, nous prenons Couëron, et déjà s'offre la région nantaise : le joyau sur Loire, juste avant d'arriver à Nantes, est sans aucun doute le port et ancien village de Trentemoult. Très pittoresque cité miniature aux couleurs vives, située sur la rive sud de la Loire, Trentemoult offre des ruelles tranquilles et des terrasses qui ressemblent à une petite ville du Midi ! Ancien village de pêcheurs, ce beau site préservé est un décor fort prisé par les cinéastes... Ainsi a-t-on pu voir quelquefois, lors du tournage du film *La Reine blanche*, Catherine Deneuve déambuler dans les petites ruelles colorées, et s'arrêter, face aux vieux quais, pour regarder la Loire.

Après Nantes (dont nous reparlerons bientôt), les rives de la Loire changent sensiblement de nature et c'est à partir de Saint-Sébastien et de Basse-Goulaine que la Loire est sans conteste la plus belle. La cause est entendue depuis longtemps par les touristes et les fins gourmets, qui ont fait de la Divatte (on appelle ainsi la rive sud de cette partie de la Loire) un haut lieu de la gastronomie française. Il faut dire que c'est ici qu'est né, au siècle dernier, le célèbre « beurre-blanc ».

Ces rives ont connu aussi un autre grand succès, celui des maraîchers nantais. Et l'on peut voir, à perte de vue, les serres des jardins qui longent la Loire autour de cette grande métropole de l'agro-alimentaire que constitue la Nantes moderne. Tout près, au sud, se profile un autre visage de la région nantaise : le vignoble. Ceci est une autre histoire. Nous vous la conterons aussi.

Sur la rive nord, deux belles cités anciennes se mirent dans la Loire : Thouaré puis Mauves.

Thouaré n'est qu'à une dizaine de kilomètres de Nantes et cependant il commence à y percer le charme du « val d'Ancenis » et de l'Anjou. Deux beaux châteaux règnent sur la pittoresque cité, La Hilière et La Hulonnière.

A Mauves, lieu de séjour et de pêche, c'est le célèbre château de La Seilleraye, qui surplombe la ville avec splendeur depuis le XVIIIe siècle. La cité est très animée l'été et vous serez le témoin des baignades en Loire : une étendue de sable fin sur la rive de Mauves offre aux beaux jours l'une des plus belles plages en fleuve qui soit, très fréquentée et rigoureusement protégée.

Des promenades conduisent à travers bois à Clermont, où vous admirerez un somptueux château. Cette quiète et belle façade appartint à un comique français très connu qui y vécut : Louis de Funès.

Nantes. Le port dans le prolongement du quai de la Fosse.

Autour du Cellier, vous marcherez longtemps à travers bois, rejoignant quelquefois la Loire qui s'étire à vos pieds à travers les coteaux... Un escalier étrange prend assise entre deux arbres, mène à une muraille en plein milieu des bois, et des ruines superbes s'offrent à vous : elles ont toujours été ainsi et ont été construites telles. Vous vous trouvez dans les célèbres « folies » d'un certain Siffait, amateur d'art génial et riche extravagant.

Peu après, remontant la Loire, vous apercevrez une tour étrange qui surplombe une charmante cité touristique bien connue des Nantais : Oudon. Les virages sont célèbres au-dessus des falaises par leur caractère impressionnant et vous devrez faire attention en voiture. Mais ils vous mèneront à des vues les plus remarquables sans doute de toute la Loire-Atlantique : à vos pieds, çà et là devant vous, c'est la Loire qui s'offre tout entière, et glisse à perte de vue dans sa vallée superbe.

Un viaduc, au cœur d'Oudon, découvre les ruines d'une vieille forteresse médiévale, disparue au XVIe siècle : les traces d'un château fort et cette magnifique tour octogonale du XIVe siècle, grise et blanche, que vous avez tout d'abord aperçue de loin. L'été on la gravit par un escalier jusqu'au sommet et là, à nouveau, en plein midi s'offre à vos yeux la vallée de la Loire. Pêche, canotage, plages en Loire, port de plaisance abrité, font d'Oudon, depuis des décennies, la villégiature nantaise de Loire par excellence.

Dix kilomètres encore vous mèneront à Ancenis, ancienne Marche de Bretagne, dernière grande cité de Loire-Atlantique et porte de l'Anjou.

Station verte de vacances, Ancenis rayonne sur la vieille région du val qui porte son nom. Un imposant château témoigne de son importance de cité Renaissance. Aujourd'hui quatrième ville du département, Ancenis est un centre gastronomique et une station importante de la production vinicole avec le célèbre Gamay de ses coteaux. Comme autrefois, la cité rayonne sur le beau val où le nom des promenades est Ingrandes, Saint-Florent-le-Vieil (Mauves angevines) — qui évoque Julien Gracq —, Montrelais, Varades, ou encore... Liré, celui des poèmes de La Pléiade. Car Joachim du Bellay est né ici. Au château de la Turmelière, à trois kilomètres d'Ancenis. C'est ici, encore aujourd'hui, que la Loire « quitte » l'Atlantique, changeant de nom et changeant d'unité, pour devenir le Maine-et-Loire.

Nantes, capitale atlantique

Agglomération de plus de 500 000 habitants et septième ville de France, Nantes est la métropole de l'Ouest et la porte atlantique du pays.

Bâtie sur la Loire, juste où commence l'estuaire, la cité fut toujours un carrefour. Trois routes très actives au nord : celle de Vannes, celle de Rennes et celle d'Angers ; trois routes au sud : celle du pays de Retz, celle de La Rochelle et celle de Poitiers. Mais il en est d'autres encore, beaucoup plus directes pourrait-on dire quoique les destinations soient apparemment éloignées : Paris et l'Europe.

Cathédrale Saint-Pierre.

En effet avec sa gare du TGV, en plein centre de Nantes, la vieille cité des ducs de Bretagne se trouve à moins de deux heures de Paris. De même, avec son aéroport international, la métropole de l'Ouest offre des lignes directes avec Milan, Barcelone ou encore Düsseldorf.

Les avions et les trains à grande vitesse ont remplacé les galions de jadis qui firent de la cité atlantique, pendant tout le XVIIIe siècle, le premier port du royaume de France.

Capitale industrielle, universitaire, technologique et culturelle de l'Ouest, Nantes compte aussi au sein de l'hexagone avec son centre hospitalier universitaire des plus renommés, sa technopole en pleine création sur les bords de l'Erdre, ses instituts réputés, ou encore sa maîtrise de l'agro-alimentaire internationalement reconnue. Certaines des productions nantaises ont fait le tour du monde, comme les biscuits LU (Lefèvre-Utile) et BN (Biscuiterie nantaise).

De même que jadis les vaisseaux de Nantes portaient les couleurs de la ville et celles de la France confondues dans les ports des Antilles, le stade de la Beaujoire a une renommée internationale avec sa capacité d'accueil de 50 000 spectateurs. Un nouveau palais des Congrès, à la sortie de la gare du TGV, accueillera quant à lui les rencontres et les manifestations les plus importantes promises dès à présent à l'heure de l'union européenne. Le port autonome, dit de Nantes-Saint-Nazaire, se donne les capacités d'un trafic international digne de Rotterdam. L'aéroport de Nantes enfin est l'un des plus modernes et des plus vastes de France après ceux de Paris.

*
* *

Nantes est également une ville d'art très cotée et un centre touristique majeur. Décor d'élection de nombre de cinéastes, elle fut toujours la ville des écrivains, de Jules Verne qui y naquit et y vécut à Julien Gracq qui en parla si bien, lui consacrant tout un livre : *La Forme d'une ville*. La vieille cité de la Loire et de l'Erdre se flatte, en outre, de n'être pas pour peu dans la genèse du mouvement surréaliste : André Breton y fit en 1916 une recontre décisive, celle du Nantais Jacques Vaché.

Il est certain qu'une magie particulière a toujours habité Nantes avec son ancien port et ses bateaux de retour des îles du Nouveau Monde, ses riches façades de l'époque — peu morale mais si faste — des négriers, ou encore ce passage mystérieux avec ses statues blanches, situé en plein centre ville et immortalisé par Mandiargues et le dessinateur Tardi... Ou encore cette suprise pour les Parisiens qui voient se dresser, au cœur de la ville qu'ils découvrent, une tour étrange, réplique de la tour... Montparnasse, la tour Bretagne.

*
* *

Commençons par le quartier de la cathédrale Saint-Pierre, qui donne son nom à tout un vieux quartier nantais. La place elle-même de la cathédrale se nomme « Saint-Pierre ». Face au large parvis, vous vous attablerez peut-être au « Cycle » : c'est ici que Stendhal, jadis, se réveillait face à la cathédrale. Souvent bougon, il se plaignait des punaises trouvées dans son lit. Rassurez-vous, on n'y dort plus et l'auberge est devenue un grand café de Nantes.

Disons-le tout de suite : il ne faut pas se borner à l'impression que vous procurera l'extérieur de la cathédrale ; il faut en franchir le seuil et entrer. Ou alors, il faut la découvrir par l'arrière, au bout de cette belle perspective qu'ouvre la rue Clemenceau au sortir du jardin des Plantes.

Le grand logis
du château des ducs.

Entrons donc. Immédiatement vous vous trouvez attiré vers le ciel et la lumière qui semblent eux-mêmes devenir un miracle de l'architecture. De fins piliers de pierres blanches façonnent l'une des plus belles nefs gothiques de France. Plus majestueuse et plus haute que Notre-Dame de Paris, elle a aussi une unité saisie d'un seul tenant que lui enviera toujours son « homologue » de Paris.

Près de l'autel, sur la droite, vous découvrirez un somptueux tombeau, paré de statues de marbre blanc. Mausolée de François II, père d'Anne de Bretagne, et chef-d'œuvre de la sculpture Renaissance, il fut promis à la démolition par le Tribunal révolutionnaire, mais sauvé par l'architecte de la ville qui le démonta et le cacha avec circonspection. Il est vrai que la plus singulière statue de cet édifice rescapé porte un deuxième visage à la place de l'arrière de la tête, symbolisant ainsi... la Prudence.

*
* *

Les alentours de la cathédrale constituent un quartier des plus anciens et des plus habités de Nantes. A gauche — si vous vous tenez face au parvis et prenez un café comme Stendhal —, la belle rue du Roi-Albert (ancienne rue Royale) descend jusqu'à la préfecture, l'ancienne Cour des comptes d'Anne de Bretagne.

A droite, la pittoresque et très médiévale rue Mathelin-Rodier débouche sur le château. Derrière, passant à gauche sous l'étrange porte Saint-Pierre (porte Renaissance construite sur les anciens remparts gallo-romains), s'étendent les cours Saint-Pierre et Saint-André. En leur cœur, la place Maréchal-Foch porte, en haut de sa longue colonne blanche, comme un fantôme pâle, la seule statue du roi Louis XVI encore en place en France depuis la Révolution de 1789. Un détail : les Nantais, très attachés à l'ombre du vieux roi, ne connaissent pas la place du Maréchal-Foch et ne sauront réellement pas vous renseigner si vous la cherchez. Rebaptisée récemment au nom du célèbre maréchal, elle n'est connue encore à Nantes que comme la « place Louis-XVI ».

A partir de la cathédrale, on accède au château par l'étroite rue Mathelin-Rodier. Les soirs d'été, des saules verts sous la lumière des spots du jardin des douves, frappent comme un décor de théâtre. Les remparts sont immenses et entièrement conservés. En leur cœur se dresse, à la fois château fort et joyau Renaissance, le château qui abrita les ducs de Bretagne. Anne, dernière duchesse de Bretagne, y naquit en 1477 et maint roi, dont Henri IV qui y signa l'Edit de Nantes ou encore Louis XIV, séjourna sur ce sol que vous foulez !

Passé le pont-levis à partir de la place Marc-Elder (vous surplombez les douves où s'ébrouent les canards), vous parvenez dans une grande cour à ciel ouvert. Tout autour, s'offre à vous l'intérieur des remparts sur lesquels vous pouvez monter jusqu'au chemin de ronde. A votre droite, le vieux puits du château. Devant vous la tour Renaissance de la Couronne d'Or avec ses loggias à l'italienne et la grâce de ses fenêtres. A votre gauche, sur les vestiges du château médiéval, cette étrange tour fine est le vieux donjon. Tout près, se dresse un bâtiment étrange, nettement plus récent, les Sarloges. Très beau musée de la Marine, il offre au visiteur les proues des navires du grand siècle lorsque Nantes croisait sur les mers du Nouveau Monde.

Un autre musée, plus intimiste, vous retiendra peut-être ; on y accède dès l'entrée du château ; c'est le musée d'Art populaire régional, où revivent les couleurs et les joies de la vieille Bretagne. Il faut dire que le

Promenades nocturnes sur l'Erdre.

château, à Nantes, n'appartient pas exactement au passé ; ses douves et ses abords sont, chaque année, le lieu de fêtes sans cesse renouvelées... On y chante, on y danse, on y mange de fins mets et s'y promène. On vient pour l'occasion depuis le Gabon, le Mexique, la Chine ou encore le Pérou..., et c'est l'extraordinaire festival international d'été qui anime, à partir du château, chaque année, toute l'ancienne cité des ducs.

*
* *

Surs les cours (Saint-André et Saint-Pierre), véritable rite et institution nantaise, une foire bi-annuelle a lieu aux pieds de la colonne Louis XVI : au printemps, puis en septembre. Plus loin, nous longeons la rue Clemenceau où se dresse le grand musée des Beaux-Arts, première collection de peinture des musées de province. Stendhal y admira *Le Joueur de vielle* de Georges de La Tour et le très soyeux et réaliste *Madame de Senonnes* d'Ingres. On y contemplera aussi tel Tintoret, Monet, Maurice Denis ou encore Kandinsky. D'envergure internationale, le musée des Beaux-Arts de Nantes réalisa la première grande rétrospective du peintre Vuillard, en 1991.

Nous ressortons. Sur la droite se dresse le lycée de Nantes (aujourd'hui lycée Clemenceau), fondé par Napoléon Ier, où bien des Nantais illustres firent leurs premières pages, d'Aristide Briand à Julien Gracq. Thomas Narcejac (du tandem policier Boileau-Narcejac) y fut également un professeur remarqué.

En face, au bout de la rue Clemenceau, s'ouvre le jardin des Plantes, beau parc paysagé du début du siècle dernier. Depuis toujours pôle des promeneurs nantais des quartiers de la cathédrale et de la gare, il a accueilli bien des générations de lycéens de Clemenceau sur ses bancs depuis des décennies ! Agrémenté de pièces d'eau, riche de remarquables variétés de camélias, d'un petit parc d'animaux (daims, biches, cerfs), il abrite dans sa partie haute de remarquables pavillons tropicaux, sortis tout droit d'un décor de Hergé, ou encore de Jules Verne, Nantais notoire, immortalisé par une statue au bout de la grande allée du jardin.

*
* *

Un des quartiers les plus étonnants de Nantes est sans aucun doute celui de l'île de Versailles et de la partie des bords de l'Erdre qui donne en plein cœur de la ville. C'est ici qu'on embarque pour de longues promenades dans la vallée de l'Erdre. Longtemps endroit mystérieux et peu fréquenté, d'où s'échappaient parfois les bruits de marteaux et de scies des artisans qui fabriquaient les barques, l'île de Versailles est aujourd'hui un lieu de promenade des plus insolites et des plus beaux de Nantes. On y accède par un pont surmonté d'un « torii » japonais et l'espace entier de l'île a été retracé par des urbanistes de talent en un vaste jardin oriental. Le chef du restaurant qui donne sur la rivière est un grand maître queux japonais. Un détail : vous êtes dans l'un des meilleures restaurants nantais de cuisine française traditionnelle.

Si nous suivons l'Erdre par la route, nous parvenons aux limites nord de Nantes, au quartier des facultés et des grandes écoles. C'est aussi le quartier de l'hippodrome, un des plus importants de France.

Cette partie de Nantes, apparemment excentrée, zone de verdure heureusement préservée, est depuis toujours appréciée des Nantais : les étudiants d'un côté, et les sportifs de l'autre en ont fait leur domaine ; tous s'accordent sur le charme ensoleillé des terrasses de café, face à l'Erdre, et se retrouvent sur le quai de La Jonelière !

Cour intérieure
dans l'île Feydeau.

Revenons au centre. L'un des plus vieux atours de Nantes est son quartier du Bouffay, aujourd'hui encore « commune libre ». Il s'y déroule symboliquement, chaque année, des vendanges qui sont l'occasion de fêtes chaleureuses. Très ancien centre de Nantes, le Bouffay vit jadis accoster des bateaux de retour des îles lointaines, exactement sur ces quelques mètres que vous foulez et où passent aujourd'hui des voitures !

Vous êtes sur le vieux marché. S'y dressa, de triste réputation, la guillotine de Nantes. Si elle a heureusement disparu, le vieux marché, lui, ne s'est jamais interrompu. Il y a des bruits, des voix, des sourires autour de vous et vous achetez des fruits ou des poissons : ce geste se perpétue à travers les siècles et au même endroit ; le marché du Bouffay se tient ici depuis la Renaissance, et la place du Bouffay est la plus vieille place publique de Nantes.

Vous entendez tout à coup un carillon sonner du beffroi d'une petite église : c'est le clocher de Sainte-Croix. Des anges à trompettes vous accueillent et vous surplombent.

Puis vous vous enfoncez à travers les ruelles ; les noms ont l'enchantement du temps de François Villon : rue de la Bâclerie, rue des Petites-Ecuries, rue de la Juiverie, rue Beauregard, rue du Vieil-Hôpital... Vous dérivez au hasard du vieux quartier médiéval de Nantes qui vous mènera jusqu'au château.

Si vous allez vers l'ouest et vous dirigez vers l'autre centre de Nantes (le centre Calvaire-Graslin), les limites du vieux Nantes seront la jolie place du Change avec sa « maison des apothicaires » (XVe siècle), ses rues piétonnes et la petite place de l'Ecluse où se tenait, bien entendu, une écluse sur Erdre... Autour de vous, une odeur de café grillé venue d'une brûlerie voisine vous rappellera l'antique commerce des galions lointains de l'opulente cité atlantique.

*
* *

Bercée par le bruit léger des tramways qui se croisent, se dresse toujours la vieille île Feydeau en forme de navire. « Célébrité » nationale, elle abrite — distribués de part et d'autre de la rue Kervégan — certains des plus beaux immeubles du XVIIIe siècle français. Avec son architecture orgueilleuse et baroque des armateurs nantais, l'île témoigne des échanges d'antan de la cité nantaise avec d'autres « îles » plus vastes, celles d'Amérique.

Le quai de la Fosse, situé en plein midi face au soleil, prolonge l'île Feydeau (autour de laquelle la Loire a été malheureusement comblée) et offre ses immeubles blancs qui surplombent le vieux fleuve de France. On y observe encore, très précisément, le rythme des marées, cela à quelques dizaines de mètres à peine de l'édifice futuriste de la nouvelle médiathèque.

Ancienne partie « chaude » de la ville, le quai de la Fosse a été immortalisé par nombre de cinéastes et d'écrivains. Il est le cadre privilégié et mythique de dizaines de romans policiers.

Longeons le quai comme le faisaient autrefois, le dimanche après-midi, les familles nantaises en promenade. Sur la gauche bientôt, après l'immeuble de l'ancienne capitainerie du port, restaurée en « maison de la mer Daniel-Gilard », qui reçoit les expositions et les manifestations relatives à la mer, un nouveau pont enjambe la Loire. C'est à cet endroit exact que se dressait l'ancien pont transbordeur, recréé à l'écran par le cinéaste nantais Jacques Demy.

Le passage Pommeraye
entre la rue Crébillon
et la rue de la Fosse.

Peu après vous admirerez les cales, de l'autre côté du fleuve, des anciens Chantiers de l'Atlantique. A quai, le *Maillé-Brézé*, ancien navire de guerre, vous recevra volontiers et vous fera les honneurs d'une agréable visite. Un peu plus loin enfin, la butte rocailleuse de Sainte-Anne, limite du quai, vous attend pour un point de vue pittoresque et précieux. Nous n'irons pas jusqu'à Chantenay, qui mérite cependant le détour avec sa place Jean-Macé et sa typique rue Pierre-Dupont. Du sommet de la butte Sainte-Anne, en dessous devant nous, s'offre l'espace de la Loire et du vieux port de Nantes, exactement comme le contempla un Nantais de jadis, un certain Jules Verne ; cet édifice près de vous est d'ailleurs devenu son musée, et vous contera les aventures lointaines et merveilleuses de celui qui allait tant en écrire !

*
* *

De mémoire de Nantais, il y a toujours eu deux centres à Nantes, séparés l'un de l'autre par l'Erdre comblée et devenue « cours des Cinquante-Otages ». Nombre de Nantais emploient encore l'expression « traverser » pour signifier le passage d'un centre à l'autre. Si celui dont nous avons déjà parlé est constitué par le quartier de la cathédrale et du Bouffay, l'autre commence après les « Cinquante-Otages » et se poursuit jusqu'à l'ouest de la cité. Très animé et beaucoup plus commerçant que l'ancien centre médiéval, il a toujours été pour les vieux Nantais le centre « bourgeois » et le centre « récent ». Précisons que ce centre « neuf » est en grande partie du XVIIIe siècle.

A partir de la place Royale et de sa belle fontaine dédiée à Neptune, vous remonterez l'étroite et très animée rue Crébillon. Célébrissime rue commerçante, elle a laissé son empreinte dans la langue courante et, à Nantes, « crébillonner » pour des générations a signifié « faire les vitrines ».

Au milieu de la rue Crébillon, si vous prenez à gauche, vous parvenez à une étrange galerie. Construit sur trois niveaux reliés par des escaliers et recouvert d'une superbe verrière, c'est le passage Pommeraye. Singulière « folie » du milieu du XIXe siècle, il est paré de sculptures oniriques et d'angelots blancs (œuvres de Grootaers et Debay). Parcours nantais obligé, le passage Pommeraye est érigé à l'état de mythe. Décor de nombreux films et romans, il fut très apprécié par les surréalistes, et André Pieyre de Mandiargues lui consacra un passage mémorable de son *Musée noir*.

Passage commerçant, il abrite bien des boutiques nantaises, des librairies et des cafés ; mais les Nantais le prennent, familièrement, comme raccourci en plein centre et pour le plaisir. Il ferme tous les soirs ses grandes portes en ferronnerie et, la nuit, il redevient un théâtre d'ombres et de rêves, dévolu tout entier à son silence et son mystère romanesque.

Tout en haut de la rue Crébillon, vous déboucherez sur la place Graslin. Elle possède deux trésors d'architecture, aussi inestimables que différents l'un de l'autre. A votre droite se dresse le théâtre, avec sa belle corniche à l'italienne peuplée de statues blanches. Edifié au XVIIIe siècle par Crucy (maître du néo-classicisme italien en France), le théâtre Graslin a toujours été l'un des pôles majeurs de la vie culturelle nantaise : il demeure aujourd'hui un centre musical actif, renommé sur la place nationale, et propose parfois des créations d'avant-garde.

Face à lui, de l'autre côté de la place, un curieux restaurant vous attend : c'est la mythique *Cigale*. Œuvre remarquable du « modern style » français et classé monument historique, le restaurant (anciennement brasserie) vous offrira ses menus fort recherchés. Dans ce cadre précieux, bariolé et orientalisant, vous

« Clisson l'Italienne »
au confluent
de la Sèvre et de la Moine.

aurez parfois, comme voisin de table, quelque journaliste, quelque célèbre artiste de passage, peut-être le cinéaste Jean-Luc Godard.

Vous quittez cette bonne table et traversez la rue ; face à vous s'ouvre le cours Cambronne. Belle promenade de l'Empire, bordée d'anciens hôtels particuliers, il est à proximité des deux grands musées nantais de cette partie du centre : le musée Dobrée et le musée d'Histoire naturelle. Puis votre regard semble plonger au loin, avoir détecté d'instinct quelque percée vers le grand large : ce que vous apercevez c'est la Loire, et le point exact de l'estuaire où les bateaux de jadis appareillaient pour le Nouveau Monde.

Clisson ou l'Italie

La Loire demeure la scintillante lisière entre le sud et le nord de la France. Et, au sud de Nantes, il plane déjà comme un air d'Italie autour de la très belle région de Clisson.

Ville très ancienne, citadelle sud des Marches de Bretagne, Clisson s'élève en amphithéâtre comme un somptueux décor. La cité, engoncée dans les bois, domine les vertes vallées de ses deux jolies rivières, la Sèvre nantaise et la Moine. C'est ce site remarquable qui frappe aujourd'hui tout d'abord à la vue de Clisson comme il frappa, dès la fin du XVIIIe siècle, ceux qui choisirent la ville, et lui donnèrent son incomparable air italien. Car son visage d'aujourd'hui est récent (moins de deux siècles) ; mais l'harmonie en est si réussie que Clisson semble émerger, préservée, tout droit d'une Italie rustique.

Le pays clissonnais fut cruellement touché par les guerres de Vendée. Entre 1793 et 1794, la fière cité n'est qu'un amas de ruines. C'est alors qu'un esthète inspiré de retour d'Italie, le peintre nantais Pierre Cacault, la choisit. Assisté de son frère, François Cacault, riche amateur d'art italien et diplomate en poste à Rome, Pierre Cacault va faire de Clisson le phare du néo-classicisme italien en France. Dès 1805, la cité accueillera ainsi au sein de la douceur de ses collines, des artistes, des architectes et des esthètes parisiens. Une nouvelle Clisson est née. La cité se reconstruit. C'est après 1840 que fleuriront des villas à l'italienne, avec leurs loggias et leurs jardins, rendant singulièrement à la ville l'écrin de splendeur de ses vieilles richesses et contribuant, en premier lieu, à l'attrait retrouvé pour son vieux château seigneurial.

Car la vieille cité restaurée à l'heure du néo-classicisme brille de tous ses feux, autour des fastes de son beau château qui conserve des parties du XIIIe siècle et le souvenir lointain du connétable Olivier (successeur de Du Guesclin à la tête des armées de France). Elle porte un très beau pont Renaissance (le pont Saint-Antoine), ainsi que des églises du XIIe siècle (l'église des Templiers et La Trinité).

Aujourd'hui, vous dériverez fasciné, au long des ruelles qui descendent à la rivière. Dans la cour du château, vous rêverez longtemps autour du vieux puits sous les cheminées médiévales... ou encore, déambulant dans la cité, vous découvrirez le bonheur des vieilles halles, qui vous transporteront à Venise, face à la Ca d'Oro dans les alentours du vieux marché du Campo Beccaria.

La mode néo-classique augurée par les Cacault à Clisson va essaimer tout le pays clissonnais. L'un des artistes parisiens qu'ils font alors venir est le grand sculpteur François-Frédéric Lemot. Immédiatement séduit par les lieux (il se dit « transporté en Italie »), il rachète la partie médiévale du château de Clisson ainsi que, dans le bourg de Gétigné, l'ancienne garenne des seigneurs de Clisson, laissée à l'abandon.

Aidé de Joseph Gautré et de l'architecte Mathurin Crucy (Grand Prix de Rome 1774), il restaurera « à l'italienne » l'ancienne garenne, célèbre aujourd'hui sous le nom de garenne Lemot, et l'un des plus beaux atours du département de la Loire-Atlantique.

Le parc déjà, avec ses murs de pierre et ses statues, vous plongera dans le rêve de paysages de Toscane et d'Ombrie... Il fut conçu par Crucy à partir d'un tableau de Nicolas Poussin.

Une sensation extraordinaire de rêve règne, il est vrai, sur Clisson. Si vous vous retournez, face au château médiéval qui surplombe les rivières, vous verrez un instant un pur décor de théâtre ; des marches montent vers une façade cintrée. De fines colonnes blanches poudroient sous la lumière comme dans telle scène du *Guépard* de Visconti. Vous avez devant vous la petite garenne Valentin, autre folie des amis des Cacault et Lemot.

Aujourd'hui, Clisson est une ville agréable et riante qui connaît une grande activité. Ses foires en font le quatrième marché bovin de France. Sa piscine, ses gymnases, ses tennis et son club hippique sont florissants et son commerce opulent. Mais elle garde, en plus, l'attrait particulier de ce rêve italien rarissime en France que purent réaliser quelques esthètes et quelques architectes touchés par la grâce du lieu. Certes ces messieurs étaient richissimes, et avaient le goût intrépide et sûr ; ils eurent les moyens de leurs prétentions. Le fils du sculpteur Lemot devint même le maire de Clisson. Il exerça sa charge pendant près de quarante ans, perpétrant ainsi, au travers des institutions, jusqu'en 1886, le « rêve italien » de ses aînés, commencé près d'un siècle plus tôt.

Le pays du Muscadet

La région nantaise est connue de certains pour son équipe de football, d'autres pour le surréalisme et Julien Gracq..., de la plupart enfin pour sa gastronomie et, plus exactement, son vignoble où règne le saint des saints : le Muscadet !

Car c'est sur les coteaux ensoleillés des bords de la Loire, d'Ancenis jusqu'au pays de Retz, que s'étendent chaque année les vignes aux belles couleurs de ce vin qui fut jadis « le vin du roy ». A l'automne, l'effervescence est grande dans toute la région sud de Nantes, et bien des étudiants, aux vendanges, courbent sans déplaisir les reins, des heures durant, sur cet « examen » et ce trésor hautement spirituel du pays nantais que sont les vendanges annuelles.

Il y a vin et vin, et le vignoble nantais ne se limite pas au Muscadet. On y récolte aussi le célèbre « Gros Plant » qui a ses inconditionnels. Issu de la « folle blanche », cépage charentais, le Gros Plant est un blanc

Au pays du Muscadet.

sec, à la fois frais et léger, tout à fait approprié à la dégustation de coquillages et de crustacés. Appellation d'Origine contrôlée, Vin délimité de Qualité supérieure, il couvre 3 000 hectares des vignes du pays nantais. Sa production moyenne est de vingt-cinq millions de bouteilles par an, et Nantes fourmille de gourmets qui renonceront plus facilement à tous les plaisirs qu'à leur cher « petit Gros Plant » quotidien !

Se récolte également, en direction du pays de Retz et de la Vendée, un excellent rosé, le « Groslot ». Il habille de sa générosité et de sa joie nombre de fêtes heureuses de campagne.

Vient enfin, entre Nantes et Ancenis, le « Coteaux d'Ancenis », produit sur trois cents hectares, et qui livre annuellement plus de deux millions de bouteilles. Vin léger et fruité, il est rosé ou rouge. Son cépage dominant est le Gamay. Il est le vin qui lie incontestablement, du point de vue gastronomique, la Loire-Atlantique et l'Anjou.

*
* *

Le saint des saints, nous l'avons dit, reste le Muscadet. Issu d'un cépage bourguignon, le célèbre « Melon », le Muscadet est un blanc sec au bouquet singulièrement épanoui. Cette fois encore, il y a vin et vin (ce qui, de mémoire d'amateur, ne signifie pas qu'il y aurait des vins à écarter, mais au contraire, autant de variétés à goûter et à connaître). Nous faisons grâce ici, mais la recommandons, de toute une abondante littérature disponible sur les mérites comparés de ces vins et de leurs relations avec les spécialités de la table nantaise (comme les fruits de mer et les poissons).

Il y a, sommairement, trois Muscadet différents. D'une part, celui qui se récolte au sein d'une sorte de triangle constitué par Aigrefeuille, Bouaye et Saint-Philbert-de-Grand-Lieu, sur 1 000 hectares de vigne. Les « places fortes » en sont Port-Saint-Père, Pont-Saint-Martin ou encore Saint-Colomban et Corcoué-sur-Logne.

D'autre part, à l'est, le Muscadet de la région d'Ancenis et Champtoceaux, dit « des coteaux de la Loire » avec ses 500 hectares et ses « citadelles du vin » comme Le Cellier et Saint-Géréon.

Il y a enfin, à la fois le plus estimé et le plus abondant (quelle chance !), le Muscadet de Sèvre-et-Maine. Il est produit de Nantes à Clisson, sur près de 11 000 hectares où coulent les deux petites rivières qui se jettent à Nantes dans la Loire : la Petite-Maine et la Sèvre.

Dans toute la région sud de Nantes qui est un véritable pays du Muscadet, commencent vers le 15 septembre les vendanges. Après le pressage, le moût (jus de raisin recueilli) connaît un débourbage minutieux qui permet d'arriver à une grande finesse de vin. Puis c'est la mise en cuves et en fûts de chêne. Une spécialité (le procédé s'applique également au Gros Plant) est la mise en bouteille « sur lie », qui a su conquérir les suffrages des palais les plus exigeants et les plus expérimentés. Cette manière raffinée doit son nom au moment choisi pour la mise en bouteilles : alors que le vin n'a passé qu'un hiver en fûts et travaille encore sur sa lie de vinification. Cela lui confère une fraîcheur et une vivacité incomparables, qu'aucun autre procédé, jamais, ne saurait retrouver.

Prenons à présent la route du vin ; les routes, devrions-nous dire, tant elles sont nombreuses.

Pour le Muscadet du sud-ouest de Nantes, elles s'empruntent soit à partir de Bouaye, soit à partir de la région du lac de Grand-Lieu. Autour de Bouaye, deux petites cités s'adonnent à la « cérémonie » du vin : Port-Saint-Père (région agricole et haut lieu des laiteries) et Pont-Saint-Martin (qu'il vous faut absolument connaître). Plus au sud, rendez-vous à Saint-Philbert-de-Grand-Lieu, La Limouzinière et Corcoué-sur-Logne.

Pour le Muscadet des coteaux de la Loire, c'est à partir d'Ancenis, à la limite est du département, qu'il vous faut rayonner. De l'autre côté de la Loire, ce sera d'abord Saint-Géréon, puis vous découvrirez les vignobles de Champtoceaux, enfin, du Cellier et de La Varenne.

La route des routes pour ce qui est du vin nantais — elle s'appelle d'ailleurs la « route du vin » — est, bien entendu, le somptueux circuit des 11 000 hectares du Muscadet de Sèvre-et-Maine.

L'expédition des connaisseurs commence à partir de Nantes. On sort de la cité des ducs par le sud, traversant ainsi les deux bras de la Loire. Puis on emprunte la Divatte et on essaie de ne pas céder immédiatement à la tentation irrésistible de s'arrêter dans un restaurant face au fleuve !

La première halte du vignoble nantais est alors Basse-Goulaine, juste après Saint-Sébastien-sur-Loire. Puis Haute-Goulaine. Décidément « Goulaine » ne veut pas nous quitter avec son vin fin et son très beau château ! La route vous mènera ensuite à La Chapelle-Heulin. Ne négligez pas cependant (si vous aimez vous laisser porter aux charmes de l'inconnu) les deux belles haltes du vin, sur votre gauche en quittant Haute-Goulaine, que sont Saint-Julien-de-Concelles et Le Loroux-Bottereau.

A partir de La Chapelle-Heulin, vous entrez au cœur du sanctuaire des Muscadet : la région de Vallet (à prononcer « Vallette », comme le font les Nantais), jolie petite ville et capitale du Muscadet.

Ici le pays tout entier devient, à proprement parler, le pays du vignoble et du vin. Il n'est guère possible de faire un kilomètre sans voir, de part et d'autre des petites routes pittoresques, les panonceaux sur lesquels on peut lire : « dégustez nos vins », « vente de vins », « caveau de dégustation »..., et tous les petits exploitants vous feront très chaleureusement les honneurs de leur production et de leur domaine.

C'est à travers ces routes, du Landreau à Tillières, de Vallet au Pallet, de Mouzillon à Clisson, que l'on ressent au mieux — plus qu'une formule générale de dépliant touristique — ce qu'est exactement un « coteau ensoleillé » et un pays de vignoble. A perte de vue en effet, de chaque côté de la route, vous verrez s'étendre le curieux paysage des vignes avec leurs rangs bas et serrés. Vous verrez aussi que ces vignes s'étalent sur un relief mollement accidenté et changeant, exposant sans fin à la lumière (il n'y a aucune grande cime d'arbre) les aires des précieux raisins. Ici, cette lumière rasante au-dessus de vous, c'est le soir qui tombe sur les vignes ; là, en bas, comme au fond d'une vallée, les touffes vertes et basses des ceps de Muscadet se perdent près des rivières... Tout autour de vous, à travers les rues de la petite ville où vous parvenez, s'offrent les caveaux de dégustation et se croisent les promeneurs de la route du vin.

A Mouzillon, tout près, entre les coteaux et la route, vous verrez un étrange petit pont qu'il est possible d'emprunter à pied : il date de l'époque romaine, et les Romains eux-mêmes connaissaient et goûtaient déjà le vin du pays des « Namnètes » !

Les autres haltes majeures du vignoble sont Le Pallet (immortalisé par Abélard et Héloïse), Le Landreau, La

Regrippière, Tillières, Gorges et, bien entendu, Clisson. Ici, vous franchirez la Sèvre et remonterez sur Nantes en traversant tous les hauts lieux du vin de Sèvre-et-Maine que vous ne pouvez méconnaître. Ce sera d'abord Saint-Lumine-de-Clisson. Puis, sur la Petite-Maine, la vieille cité d'Aigrefeuille, ses très beaux coteaux et son caveau de dégustation fort goûté. Longeant toujours la rivière, vous remonterez sur Maisdon-sur-Sèvre et sur Châteauthébaud.

Sur l'autre rive, face à vous, bientôt apparaîtront Saint-Fiacre et, plus au sud sur votre droite, Monnières. En remontant, vous traversez la Sèvre nantaise et découvrirez La Haie-Fouassière où décidément le Muscadet n'en finit pas de « couler », véritable rivière du sud du pays nantais.

Enfin, juste avant de rentrer sur Nantes, se dresse devant vous la très jolie petite ville de Vertou. Située sur une colline qui domine la Sèvre et fait songer aux plus beaux sites de Dordogne, s'étend le dernier haut lieu du Muscadet : vous êtes à moins de dix kilomètres du plein centre de Nantes.

Il ne serait guère loyal de se quitter ici, sans vous donner une information capitale : comment et quand se sert le Muscadet.

D'abord il se sert frais, mais pas froid. La température idéale (les amateurs les plus éclairés sont formels) se situe entre 9° et 11°. Il ne faut pas faire refroidir brutalement le vin (ne pas le placer trop haut dans le réfrigérateur, ne pas le mettre au freezer !), ce qui détruirait irrémédiablement son arôme et son goût. En outre un verre à pied, généreusement galbé, est recommandé pour le servir, car il concentre les arômes de ce vin très épanoui.

Pour le boire, en règle générale et hors certains millésimes, ne conservez pas ces vins trop longtemps. Vous apprécierez au mieux le Muscadet en le consommant dans les trois années qui suivent la récolte.

La température idéale de conservation des bouteilles en cave est de 10° à 12°.

Enfin, une dernière chose, pour ce qui est du moment judicieux de la dégustation et du choix de l'accompagnement de plats, ne craignez rien, la science est réduite : le Muscadet est un vin de toutes les heures. Il est aussi le premier apéritif de la Loire-Atlantique.

Santé !

HOBIE CAT

Presqu'île guérandaise

La Baule, plus belle plage d'Europe,
offre ses activités de plaisance
et son charme bleuté aux visiteurs du monde entier.
Elle constitue la plus belle des « soirées » de Loire-Atlantique.

LA POTINIÈRE
BAR
RESTAURANT

Le Pouliguen est une station familiale
où tous les âges se retrouvent.
Le repos estival s'allie ici à la splendeur
de plages traditionnelles dotées d'un équipement
des plus modernes et des plus souriants.

CENTRE DE THALASSOTHÉRAPIE

Avec ses grands hôtels (le Royal, l'Ermitage, le Castel Marie-Louise...), ses allées cavalières et ses belles villas, ses promenades et ses équipements de qualité (dont ses centres de thalassothérapie), la Côte d'Amour offre, dans son microclimat, sa belle lumière vénitienne.

Golf à La Baule, dérives romanesques
autour du château de Ranrouët tout droit sorti
de l'imagination d'Edgar Poe, de Jules Verne ou de Julien Gracq,
sont parmi les bonheurs divers qu'offre la presqu'île guérandaise.

La « reine » du pays est la vieille cité fortifiée
de Guérande, avec la beauté impressionnante
de ses remparts médiévaux qui lui ont valu
le surnom de « Carcassonne de l'Ouest ».
A droite : La ville abrite l'un des plus beaux
joyaux du gothique breton, la collégiale Saint-Aubin.

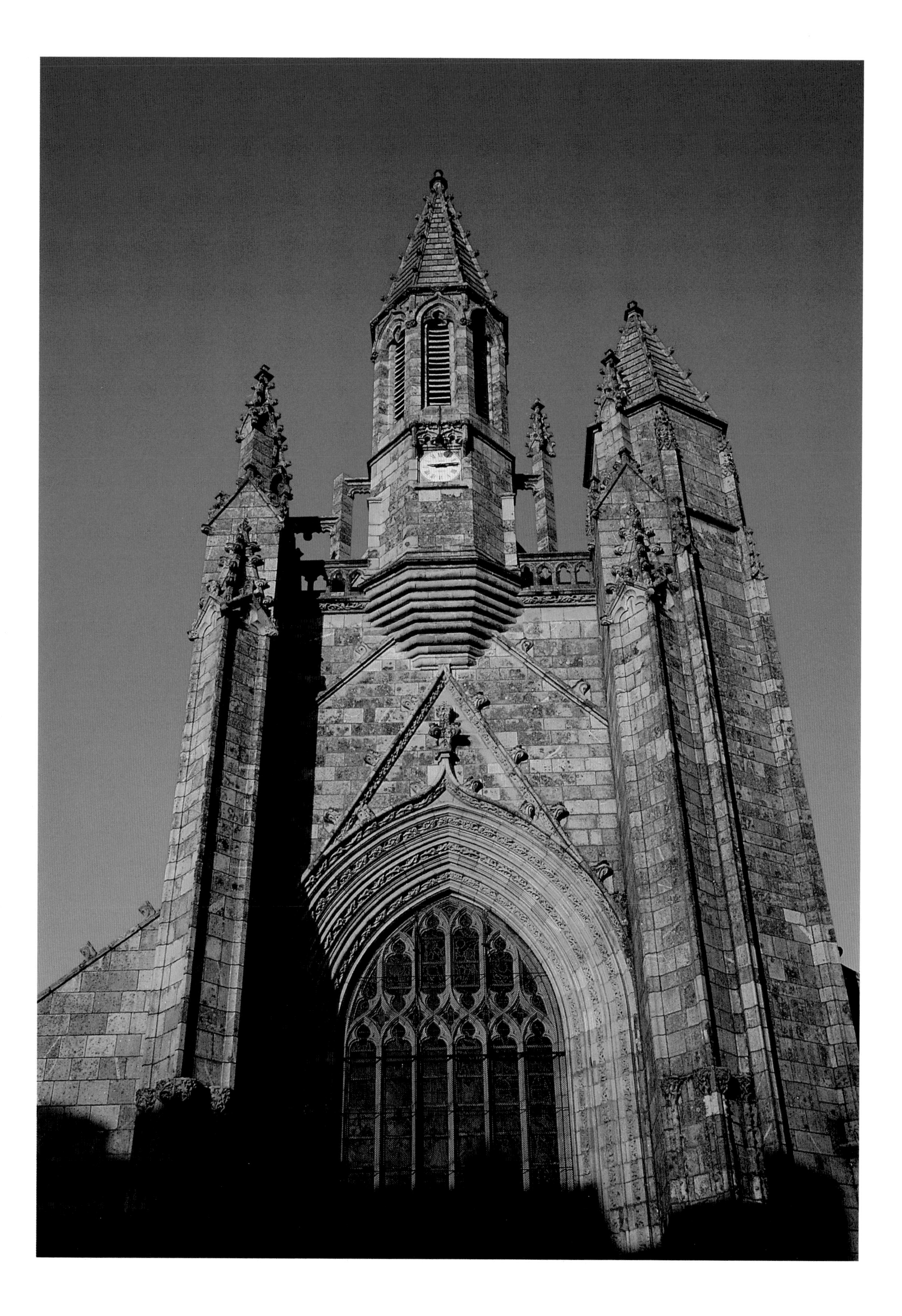

A Guérande soufflent l'esprit
et les formes de la plus vieille Bretagne…
A droite : A quelques kilomètres, le port du Croisic
offre ses fines dentelles. C'est un voyage prodigieux
dans l'espace et le temps, qui semble nous conduire
jusqu'aux tréfonds du Morbihan, du Finistère et des Côtes-d'Armor.

La Turballe, premier port sardinier de France, est aussi expert dans la réparation navale. Typique avec sa vente de poissons à la criée et son port pittoresque, La Turballe devient un point d'ancrage très recherché des bateaux de plaisanciers.

SN 329195

SN 891330
SN 329605

Du Croisic à La Turballe, de Guérande aux marais salants, toute une activité a parfaitement lié le tourisme et les industries de la pêche et du sel, au point qu'il semble devenu impossible aujourd'hui de les départager et de les séparer.

Les innombrables salines des marais, jadis premier pôle
d'exploitation du sel de Bretagne, font le bonheur
de nombre de promeneurs et des aventuriers de la photographie ;
ici le patrimoine économique devient un patrimoine culturel.

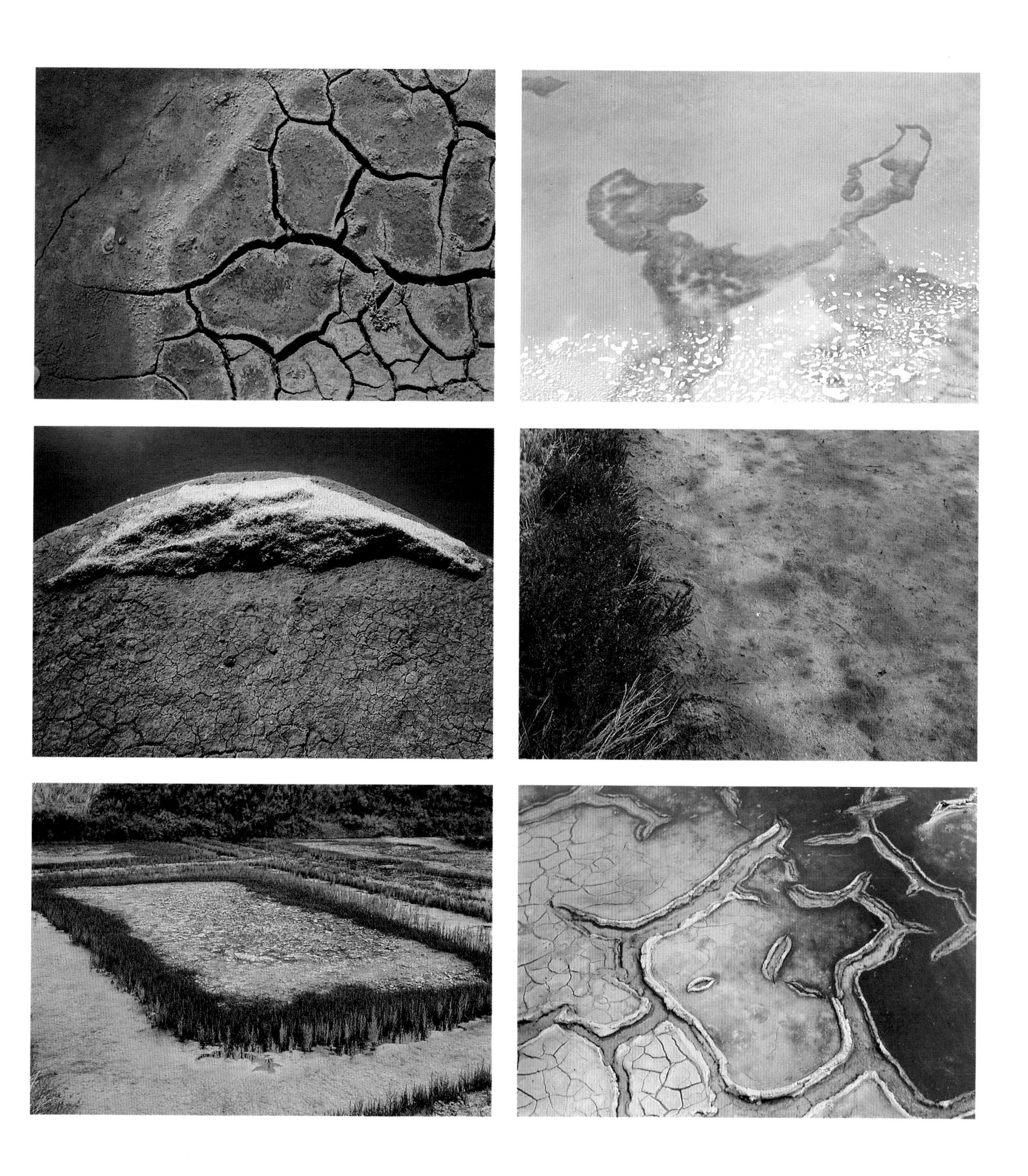

Guérande est le « pays blanc » (le sel),
vers les terres se déploie le « pays noir »
(la tourbe) : la Brière. Si l'on en croit
le charme de ses eaux et de ses ciels,
le terme de « pays bleu » serait le bienvenu.

Les chaumières de Brière, tout droit sorties de l'œuvre d'Alphonse de Chateaubriant, veillent depuis des siècles sur la paix et le mystère de Brière ; l'architecture moderne vient y chercher parfois des idées et un souffle nouveau.

Avec plus de dix-sept mille hectares de marais,
la Brière est un bonheur pour tous les protecteurs
et les amoureux de la nature. Une faune riche,
une flore étrange et belle, offrent d'insolites
promenades à travers les canaux sans fin de ses roseaux.

Saint-Nazaire et son pont construit sur le modèle
de celui de Tancarville relient la presqu'île guérandaise
et l'antique pays de Retz, réalisant du même coup
l'unité des côtes du département, forte de la chaîne
de toutes ses richesses et toutes ses différences.

Le pays de Retz

Ancienne ville fortifiée et jadis port international
de la pêche à la morue, Pornic règne sur la belle Côte de Jade,
avec ses pêcheries, son port typique et son tourisme familial.

ASSURANCES
RESTAURANT CREPERIE
Kronenbourg
DÉFENSE
STATIONNER

NA 189623

La cité offre
le visage aussi d'un port
très moderne. Un équipement
reçoit les plaisanciers venus
de toutes les parties du monde,
une architecture nouvelle
regarde les rochers éternels.

Haut lieu de plaisance, de la pêche
et de l'ostréiculture, le pays de Retz est un espace
fortement préservé de la Loire-Atlantique. *Ci-dessus :* Le lac de Grand-Lieu,
avec sa réserve ornithologique, est un de ses trésors entre tous.

Une étrange communion règne, de tous temps,
entre l'abbatiale carolingienne de Saint-Philbert-de-Grand-Lieu et le lac...
c'est comme un écho, sur les eaux, des chants des moines du IXe siècle.

Au nord de Nantes

Le vieux domaine du Gâvre est l'une des plus belles petites forêts de France. Promenade familière de Loire-Atlantique, son charme opéra fortement sur quelques illustres « marcheurs » du siècle dernier : Chateaubriand, Hugo, Balzac, ou encore Maupassant.

Missillac. Un golf — comme dans une « folie »
d'une sorte de Louis II de Bavière
des temps modernes — se situe
au pied du plus beau château
Renaissance de la région : La Bretesche.

Le château de Blain trône sur la vieille cité du XVᵉ siècle et sur toute la région du Gâvre. Véritable point-frontière entre la Bretagne et les Pays de la Loire, Blain est une ville-étape du canal de Nantes à Brest, haut lieu touristique.

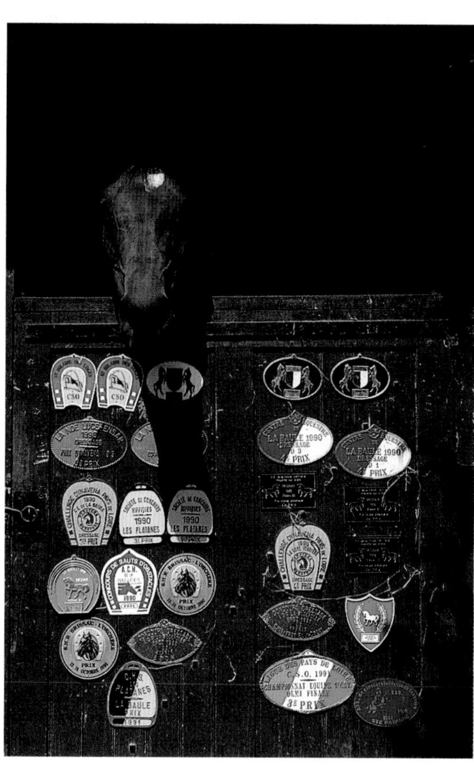

L'Erdre, fort prisée par les rois depuis la Renaissance, demeure aujourd'hui la véritable « Riviera » des Nantais et offre les plus belles des villégiatures sur rivière.

Le pays de Châteaubriant

L'église de Saint-Jean-de-Béré
est l'une des plus belles églises romanes de Bretagne,
avec ses étranges pierres rouges édifiées au XIe siècle.
A droite : Sur le château de Châteaubriant
souffla, en pleine Bretagne,
le génie incomparable de la Renaissance italienne.

L'abbaye de Melleray
avec ses moines cisterciens,
depuis le XIIe siècle.

La paix et le calme
sont la règle ici tandis que, près de l'étang,
dans quelque partie de la demeure, les moines s'adonnent
à l'imprimerie (fort modernisée) dont ils tirent leurs revenus.

En remontant la Loire du port de Saint-Nazaire aux portes de l'Anjou

Saint-Nazaire, capitale de la construction navale.
Ici s'édifient aussi bien les plus célèbres des paquebots de prestige que les derniers fleurons de l'armement militaire.

F731

Port de commerce, Saint-Nazaire
demeure aussi un petit port de pêche
et une paisible cité, malgré une Histoire douloureuse
et le destin international de ses constructions navales.

En remontant la Loire, Donges
offre ses terminaux futuristes qui reçoivent
les plus grands pétroliers du monde.
Egalement terminal gazier, Donges constitue
l'avant-poste énergétique de Saint-Nazaire.

Symbole de cette plate-forme vitale du département,
Donges est surplombée par le pont de Saint-Nazaire qui relie
le sud et le nord du département à l'embouchure de l'estuaire.

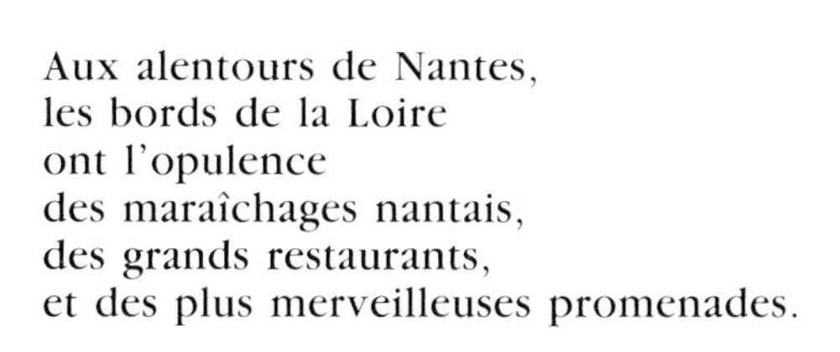

Aux alentours de Nantes,
les bords de la Loire
ont l'opulence
des maraîchages nantais,
des grands restaurants,
et des plus merveilleuses promenades.

Nous touchons ici fortement à l'essence et au cœur des Pays de la Loire, dont l'œuvre de Julien Gracq...

... est une glorification fascinée. Les sables et les eaux semblent
garder la mémoire de la « douceur angevine » chère à Joachim du Bellay.

Aux portes de l'Anjou, se dresse Ancenis, station verte de vacances et quatrième ville du département.

Oudon, depuis ses rivages célèbres, offre un des plus beaux points de vue sur toute la vallée de la Loire.

La tour d'Oudon, vestige d'un château du XIVe siècle, fait rêver les enfants depuis tant de générations !

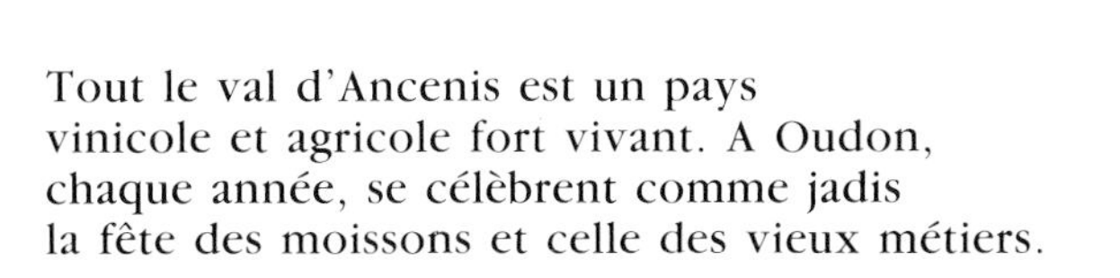
Tout le val d'Ancenis est un pays
vinicole et agricole fort vivant. A Oudon,
chaque année, se célèbrent comme jadis
la fête des moissons et celle des vieux métiers.

A gauche : Près de Nantes,
la promenade la plus insolite des bords
de Loire est sans aucun doute celle
des « folies » gothiques d'un certain Siffait,
amateur d'art génial et riche extravagant
qui construisit... ces ruines.
Ci-dessus : Nantes.

Nantes, métropole de l'Ouest, est avant tout
une belle cité, à l'image de ses curiosités célèbres : ici,
son jardin des Plantes, l'un des plus beaux de France ;
là, son passage étrange, le passage Pommeraye,
qui inspira les surréalistes dont une des sources
majeures du mouvement est indubitablement Nantes.

SCOTT
BYBLOS
EUREKA
CREEKS
GALERIE REGNIER

Le musée des Beaux-Arts de Nantes est le premier musée de peinture de province ; il abrite des Monet, Ingres, De La Tour célébrissimes.
A droite : La cathédrale de Nantes offre la plus pure et la plus haute des nefs gothiques de France ; elle abrite le mausolée de François II, chef-d'œuvre Renaissance.

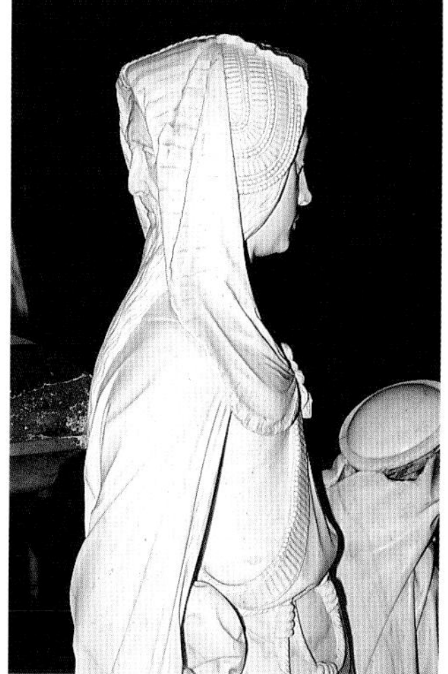

Nantes est une cité dressée vers le ciel et qui,
se souvenant de son importance, rêve à son avenir.

D'un côté, règne l'architecture baroque
de la cité qui régnait sur les mers au XVIIIe siècle...

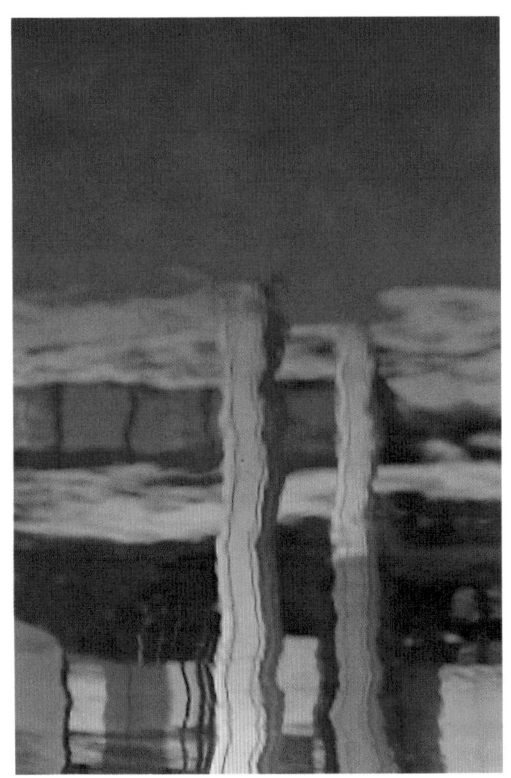

... De l'autre, de nouveaux espaces, comme l'île Beaulieu, de nouvelles architectures, et le pari tenu de nouveaux enjeux. *A gauche :* L'Hôtel de la Région.

Capitale de l'agro-alimentaire,
berceau du « petit LU »
comme du « choco BN »,
Nantes est la ville des enfants.

LU
LU
LU
LU
LU
PETIT-BEURRE
NANTES
LU
LU
BISCUITS
LEFÈVRE-UTILE

3

Cité des écrivains et des artistes, Nantes inspira nombre de cinéastes. Le célèbre « quai de la Fosse » fut aussi bien « mis en scène » qu'en « livre » par Gracq, Boileau-Narcejac, Jacques Demy ou Hervé Jaouen.

Pages précédentes et ci-dessus : Clisson s'élève en hémicycle comme un somptueux décor de théâtre. La cité domine ses deux rivières, avec ses édifices tout droit sortis d'une Italie rustique, couvée, tout près, par les ruines du vieux château médiéval.

La vie bourdonne ici comme elle bourdonnait jadis dans ces mêmes vieilles halles à l'italienne ; et si l'on ne trouve, bien sûr, ni Chianti ni Mozzarella, c'est qu'un plus proche voisin est présent : la Vendée, avec ses brioches.

AUBERGE
MONTE CRISTO

De Vertou à Clisson, des gorges de la Sèvre aux beautés néo-classiques de la garenne Lemot, le sud-Loire est avant tout le « pays du sud », celui, heureux et riant, du vin : le Muscadet.

Vallet, au cœur du Muscadet,
est le terme du périple de nombre de fins gastronomes.
La petite cité offre aussi cette particularité
d'abriter un cimetière des « gens du voyage » qui se retrouvent
ici, chaque année, pour honorer la mémoire de leurs absents.

Maquette-montage : Ateliers Kerdoré, Laval
Photogravure : Euroquadri, Nantes
Photocomposition : Anjou-Lino, Segré
Crédits photographiques :
en couverture : Jean Lutz,
pp. 5, 34, 36, 37, 69 (photos 1 et 8), 75 : Kerdoré - Michel Thierry

---

Achevé d'imprimer sur les presses de l'imprimerie Le Govic, Saint-Herblain
en octobre 1991 pour le compte de SILOË-Editeur
N° d'éditeur : 5309155 - Dépôt légal : novembre 1991